この本の使い方〈基本〉

①指さしながら発音する

Jugendherberge
「ユース」はあっちだな…

話したい単語を話し相手に見せながら発音します。相手は文字と発音を確認できるので確実に通じます。

②言葉を組み合わせる

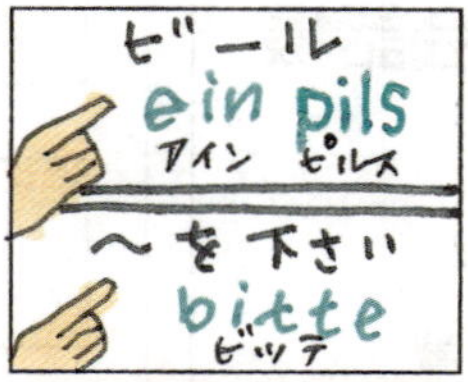

Ein Pils, bitte
「ピルスをください」か…

2つの言葉を順番に指さしながら発音することで、文章を作ることができます。わかりやすいようにゆっくり指さしましょう。

③発音は大きな声で

おいしい lecker レッカァ

ウ〜ム！なんだかすごくおいしかったらしいぞ！

発音せずに指さすだけでも通じるのは確かですが「話したい」という姿勢を見せるためにも発音することは重要です。だんだん正しい発音に近づきます。

④相手にも指さしてもらう

どこに行きたいのですか？
Wo wollen Sie hin?
ヴォ ヴォレン ズィー ヒン？

「どこに行きますか？」か…道聞いてみよっ！

話し相手にはドイツ語を指さしながら話してもらいます。あなたは日本語を読んで、その言葉の意味がわかります。

◎6Pの「ドイツの皆さまへ」を読んでもらえば、この本の考え方が伝わり、より会話はスムーズになります。

⑤自〔…〕

Wo wollen Sie hin? どこに行きたいの？
zum Bahnhof 駅に！

指さ〔…〕れを〔…〕ます。〔…〕りた〔…〕葉は巻〔…〕

旅の指さし会話帳 ⑳ ドイツ

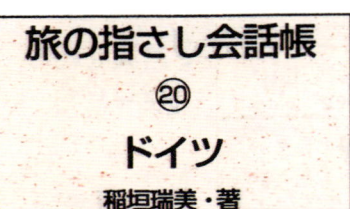

稲垣瑞美・著

目次

ドイツの皆さまへ ⑥

第1部
「旅の指さし会話帳」本編 ⑦

```
    ページのテーマ
        ↓
    ┌─空港→宿──────────┐
    │「電話はどこですか?」    │
    │「1泊いくらですか?」 ⑧ │
    └─────────────────────┘
     ↑                    ↑
  そのページで         ページ番号
  話せる内容の例
```

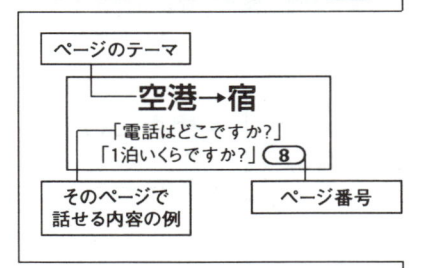

第2部
ドイツで
楽しく会話するために ㊿

第3部
日本語→ドイツ語
単語集 ㊼

第4部
ドイツ語→日本語
単語集 ⑮

あとがき ⑮

空港→宿	乗り物
「電話はどこですか?」 「1泊いくらですか?」 ⑧	「次の電車は何時出発?」 「ここ空いてますか?」 ⑩

あいさつ	呼びかけ
「どうもありがとう」 「こんにちは」 ⑱	「ゆっくり話して下さい」 「あの〜すみません」 ⑳

ドイツ	ベルリン
「私はケルンを訪ねました」 「どこの出身ですか」 ㉖	「シャーロッテンブルグ城・ 壁博物館に行きたい」 ㉘

数字とお金	買い物
「円をマルクに替えたい」 「いくら?」「いくつ?」 ㉜	「パン屋を探しています」 「レシートをください」 ㉞

時間と時計	月日
「いつ始まりますか?」 「遅れてごめんなさい」 ㊷	「いつドイツに来たの? いつ日本に帰るの?」 ㊹

食事・レストラン	主な料理
「ここの名物は何ですか」 「どこで食べる?」 ㊽	「牛肉とベーコンのピクルス 巻きを食べます」 ㊿

映画・音楽	スポーツ
「どんな映画が好き?」 「どの音楽が好き?」 ㊺	「チケットどこで手に入る?」 「試合を観戦したい」 ㊽

人間関係	人の性格
「兄弟姉妹はいますか」 家族・友達・カップル ㊿	「彼は愛きょうがある」 「うれしいです」 ㊻

体と病気	病院・内臓
「気分がすぐれません」 「病院へ連れていって」 ⑦⓪	「旅行を続けられますか」 「気分が悪いです」 ⑦②

動詞・疑問詞	形容詞
何・どこ・誰が・いつ 尋ねる・笑う・泣く ⑦⑥	新しい、興味深い、多い 少ない、安い ⑦⑧

話し相手用「ドイツ語目次」→ ⑫⑧ ページ

↓着いたときからすぐ使える

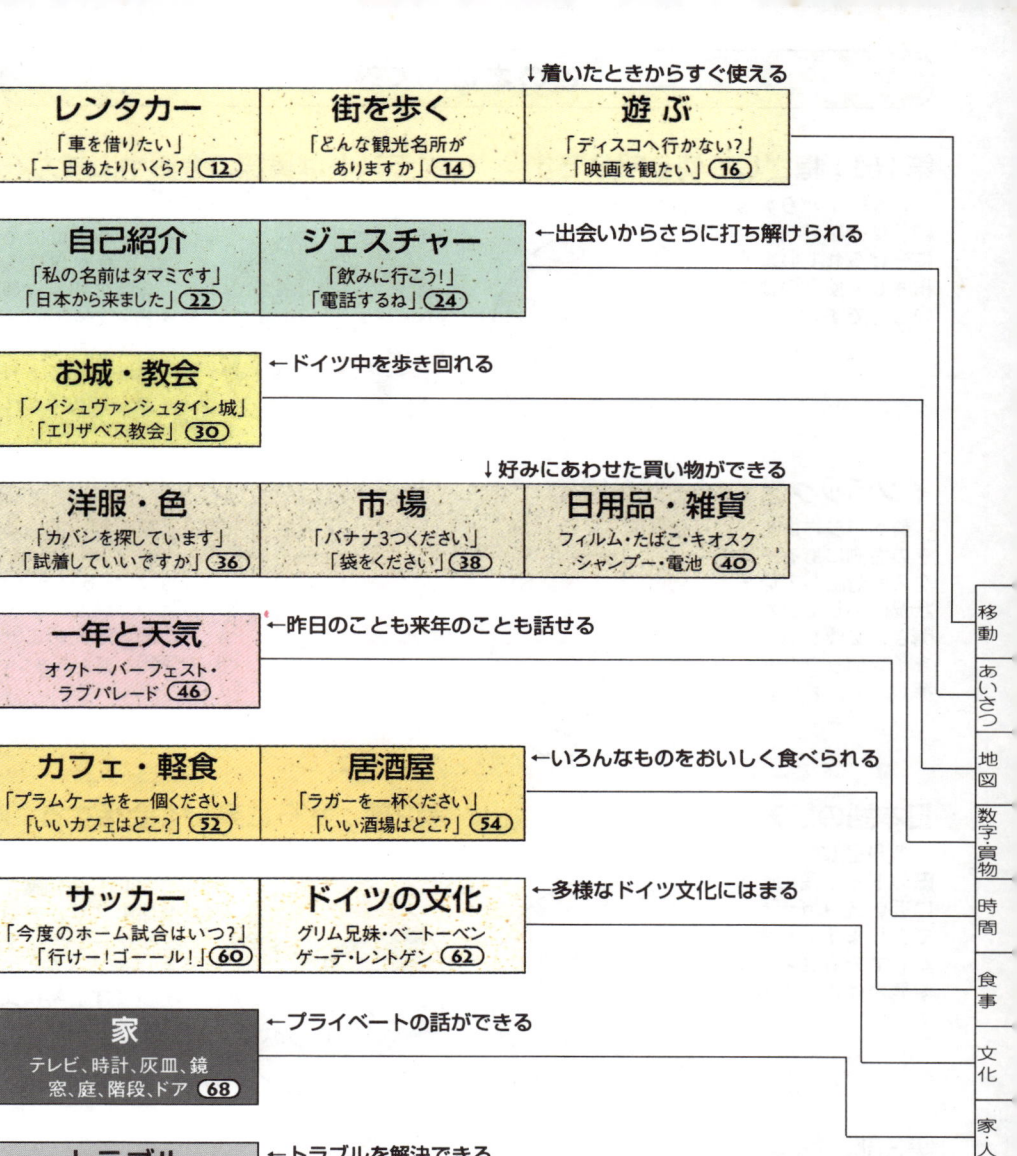

レンタカー	街を歩く	遊ぶ
「車を借りたい」 「一日あたりいくら?」 12	「どんな観光名所が ありますか」 14	「ディスコへ行かない?」 「映画を観たい」 16

←出会いからさらに打ち解けられる

自己紹介	ジェスチャー
「私の名前はタマミです」 「日本から来ました」 22	「飲みに行こう!」 「電話するね」 24

お城・教会	←ドイツ中を歩き回れる
「ノイシュヴァンシュタイン城」 「エリザベス教会」 30	

↓好みにあわせた買い物ができる

洋服・色	市 場	日用品・雑貨
「カバンを探しています」 「試着していいですか」 36	「バナナ3つください」 「袋をください」 38	フィルム・たばこ・キオスク シャンプー・電池 40

一年と天気	←昨日のことも来年のことも話せる
オクトーバーフェスト・ ラブパレード 46	

←いろんなものをおいしく食べられる

カフェ・軽食	居酒屋
「プラムケーキを一個ください」 「いいカフェはどこ?」 52	「ラガーを一杯ください」 「いい酒場はどこ?」 54

←多様なドイツ文化にはまる

サッカー	ドイツの文化
「今度のホーム試合はいつ?」 「行けー!ゴール!」 60	グリム兄妹・ベートーベン ゲーテ・レントゲン 62

家	←プライベートの話ができる
テレビ、時計、灰皿、鏡 窓、庭、階段、ドア 68	

トラブル	←トラブルを解決できる
「部屋のカギを忘れた」 「電気がつかない」 74	

←さらに知っておくと便利な言葉

生き物	住所を尋ねる
「ドイツで見られますか?」 ネコ・犬・鳥・ウサギ 80	「手紙を送ります」 「メール書いてネ!」 82

移動 | あいさつ | 地図 | 数字買物 | 時間 | 食事 | 文化 | 家人 | トラブル | その他

仲良くなった人との「住所交換ページ」→ 82 ページ

この本のしくみ

第1部：指さして使う部分です

　7ページから始まる第1部「本編」は会話の状況別に38に分けられています。指さして使うのはこの部分です。

イラストは実際の会話中に威力を発揮します

　あわてている場面でもすぐに言葉が目に入る、会話の相手に興味を持ってもらう、この2つの目的でイラストは入れてあります。使い始めるとその効果がわかります。

インデックスでページを探す

　前ページにある目次は各見開きの右側にあるインデックスと対応しています。状況に応じて目次を開き、必要なページをインデックスから探してください。

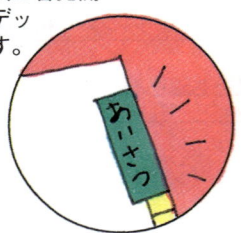

ページからページへ

　会話の関連事項の載っているページについては「→P.14」等の表示があります。会話の話題をスムーズに続けるためにぜひ活用してください。

日本語の読みガナで話す

　各単語にはできるだけ実際のドイツ語の発音に近い読みガナがふってあります。まずは話してみること。必ず発音はよくなります。

第2部：さらに楽しく会話するために

　ドイツ語の基本知識、対人関係のノリなどコミュニケーションをさらに深めるためのページです。特に文法をある程度理解すると会話の幅は飛躍的に広がります。

第3部、第4部：頼りになる充実の単語集

　言葉がさらに必要になったら、単語集をめくってください。「和→独」は約4000語、「独→和」はシチュエーション別に更に会話を充実させるための単語を厳選し、約1500語を収録しています。

　裏表紙を活用するために水性ペンを用意しましょう。書いた文字をふきとれば何度でもメモ書きに使えます。

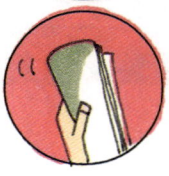

　折り曲げて持ち歩きやすいように、本書は特別な紙を選んで使っています。

この本の使い方〈そのコツ〉

　このシリーズは、語学の苦手な人でもぶっつけ本番で会話が楽しめるように、ありとあらゆる工夫をしています。実際に使った方からは「本当に役に立った」というハガキをたくさんいただきます。友達ができた方、食事に招かれた方、旅行中に基本的な言葉を覚えた方……そんな方がたくさんいます。

　その土地の言葉で話そうとする人は歓迎されるもの。そして会話がはずめば、次々とおもしろい体験が押し寄せてきます。現地の人しか知らない「とっておきのおいしい店」や「最近流行っているスポット」を教えてもらったり、その時でしか見られない催しに連れていってもらったり……こういった体験は、おきまりの場所をたどる旅行より数十倍、数百倍おもしろいものです。

　では、どうやると本書をそんなふうに使えるのか、そのコツをいくつか紹介します。

第1のコツ→面白い本だとわかってもらう

　本書は、実際の会話の場面で話し相手に興味を持ってもらうための工夫をいたるところにしています。

　言葉の一つ一つは、あなたが使うためはもちろん、ドイツ人に"受ける"ことも考えて選んでいますし、イラストも興味を少しでもひくために盛り込んでいます。

　22ページの「自己紹介」、56ページの「映画・音楽」なども、実用的な意味と同様に、ドイツ人に「へーっこんなことも載ってんのか！　面白そうな本だな～」と感じてもらう意味があります。相手にあわせて興味を持ってくれそうなページをすかさず見せてみることは重要なポイントです。

第2のコツ→おおまかに全体を頭に入れておく

　どのページにどんな表現が載っているかを把握しておくと、スムーズにいろんな言葉を使えます。目次を見ながら、興味のあるページを眺めておきましょう。

第3のコツ→少ない単語を駆使する

　外国語というとたくさん言葉を覚えないと、と思っていませんか？　でも少ない言葉でも、いろんなことが話せるのです。

　たとえば、あなたが日本で外国人に尋ねられた状況を考えてみてください。

　「シンカンセン、シンカンセン、ヒロシマ」と言われたら"この人は新幹線で広島に行きたいらしい"ということは、充分にわかるものです。また、その人が腕時計を何度も指さしていたら"急いでるんだな"ともわかるでしょう。

　「大きい」「小さい」「好き」「歩く」「どうしたの？」等々の言葉も、さまざまな状況でさまざまな形で使えます。

　本書ではそういった使い回しのきく言葉や表現を優先的に拾っていますので、早い人なら1週間で簡単な会話のやりとりはこなせるようになります。

第4のコツ→得意の言葉をつくる

　本書を使っていると、人によってよく使うページは分かれます。年齢に話題をふりたがる人、その土地の文化を話したがる人、家族のことをもちだす人……。

　好きな言葉、よく使う言葉ほどすぐに覚えられるもの。

　そんな言葉ができたら、発音をくり返して、話すだけでも通じるようにひそかに練習しましょう。

　片言でも自分の言葉にして、話して通じることは、本当に楽しい経験になり、また会話の大きなきっかけとなります。

移動｜あいさつ｜地図｜数字・買物｜時間｜食事｜文化｜家・人｜トラブル｜その他

Hallo ihr Leute aus Deutschland

Ich bin die Autorin dieses Buches für japanische Touristen. Wie geht's?

Stellen Sie sich vor, Sie machen Ferien in einem Land, in dem kein Deutsch gesprochen wird, Sie sich aber trotzdem für die fremde Kultur und die Einheimischen interessieren. In diesem Fall wäre es wohl am besten man spricht die Sprache des Landes, nicht wahr?
Japanische Touristen die mit diesem Buch reisen, wollen nicht nur die Sehenswürdigkeiten bewundern oder fotografieren sondern auch Länder, Leute und die Kultur Deutschlands kennen lernen. Da die deutsche Sprache schwierig und kaum zu lernen ist für Japaner, wurde dieses Buch so gestaltet, dass man sich durch Fingerzeigen und sprechen mit den deutschen Leuten verständigen kann. Ich bin sicher, dass Sie diesen Touristen gerne weiterhelfen und ein guter Gastgeber sind. Zögern Sie nicht die Aussprache zu verbessern, wenn es nötig ist. Vielleicht ergeben sich so einige Bekanntschaften zwischen Deutschen und Japanern, ich würde es mir jedenfalls wünschen, denn Deutschland ist bei dem Volk des Lächelns sehr beliebt. Sie, die den japanischen Touristen aufgeschlossen sind, können sich des japanischen Lächelns sicher sein(mindestens ein Lächler pro Wort!!).
So, und nun wünsche ich ihnen noch einen angenehmen Tag.

Tschüss.............   Tamami Inagaki

ドイツの皆さまへ

こんにちは。私はこの本の著者の稲垣瑞美と申します。ご機嫌いかがですか?

あなたがもし、ドイツ語が通じない国を旅行し、その国の文化、人々に興味を持ったら…と想像してみてください。そんな場合、その国の言葉を話せたらいいですよね。
この本を持って旅行をしている日本人は、観光名所に感動し写真を撮るだけでなく、ドイツという国、ドイツの人々、文化を知りたいのです。ただ、ドイツ語は日本人にとって難しいので、日本人の旅行者が指で指し、話すことによってあなたと会話できるようにと、この本が作られました。あなたが快く目の前の日本人の手助けになっていただけると、私は知っています。そして、必要なときは、遠慮なく発音を直してあげてください。
もしかしたら、そこから友情が生まれるかもしれませんね。少なくとも、私はそうなればと願っています。なんといっても「笑顔の国」の人々はドイツにとても好意を持っていますから。日本人の旅行者にオープンなあなたなら、彼らの笑顔をご覧になれば、おわかりいただけるでしょう。
それでは、よい一日を。
さようなら

稲垣瑞美

第1部

「旅の指さし会話帳」本編
Deutsch für Touristen leicht gemacht

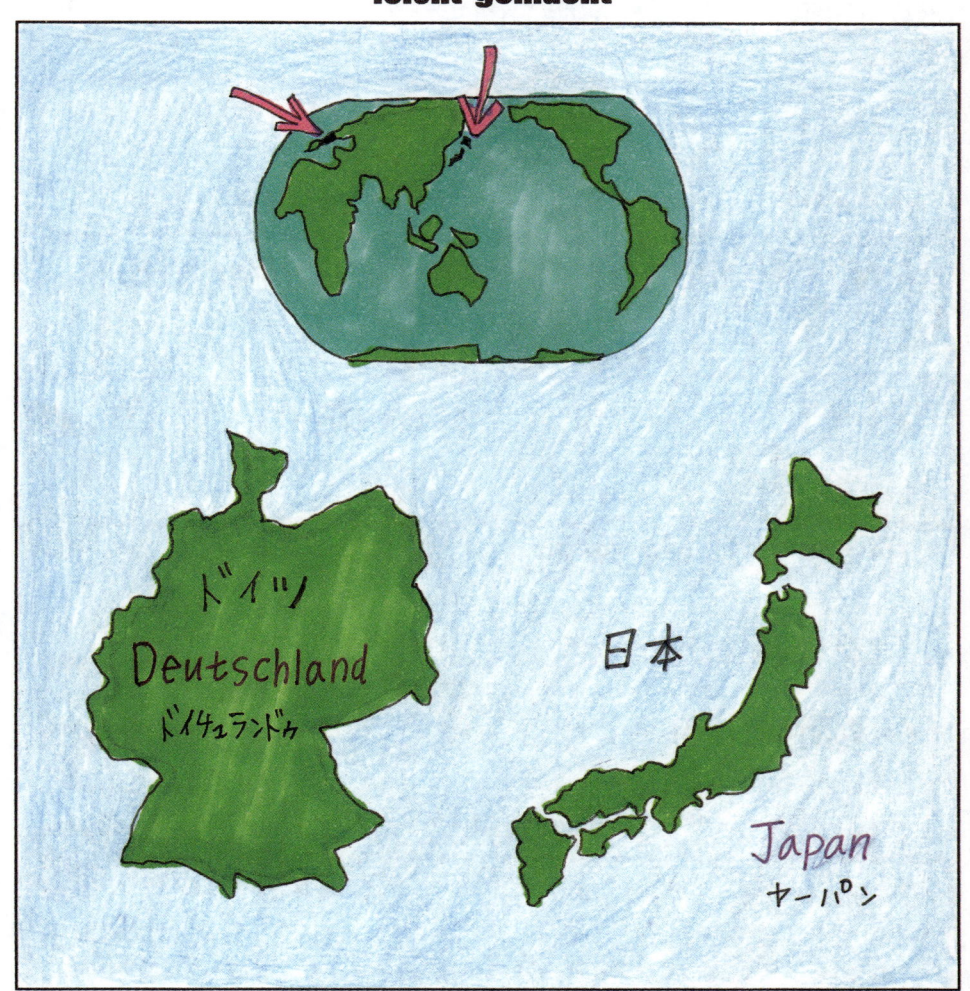

ドイツ
Deutschland
ドイチュランドゥ

日本

Japan
ヤーパン

移動 | あいさつ | 地図 | 数字・買物 | 時間 | 食事 | 文化 | 家・人 | トラブル | その他

空港→宿 Flughafen→Unterkunft
フルークハーフェン→ウンタァクンフトゥ

移動 Flughafen→Unterkunft

| 到着 Ankunft アンクンフト | 出発 Abflug アップフルーク | 国内(国際)線 Nationale (Internationale) Flüge ナツィオナーレ (インタナツィオナーレ) フリューゲ |

| 入国審査 Passkontrolle パスコントゥローレ | EU Europäische Union オイロペイシエ ウニオーン | EU以外 Außereuropäischer Staat アウサァオイロペイシエア シュタアトゥ |

どのくらいドイツに滞在しますか？
Wie lange bleiben Sie in Deutschland?
ヴィー ランゲ ブライベン ズィー インドイチュランドゥ

□日(週)間
Für □ Tage (Wochen(n))
フェア ターゲ (ヴォッヘン)

□はどこ？
Wo ist □ ?
ヴォ イストゥ

ツーリストインフォメーション
Touristeninformation
トゥアリステンインフォァマツィオーン

税関 Zoll ツォル　申告なし　申告あり

荷物受け取り
Gepäckausgabe
ゲペック アウスガーベ

| 銀行 Bank バンク | 両替 Geldwechsel ゲルドゥヴェクセル | 落とし物保管所 Fundbüro フンドゥビューロー | 警察 Polizei ポリツァイ |

| 電話 Telefon テレフォン | 喫煙所 Raucherzone ラオハァゾーネ | 出口 Ausgang アウスガング | トイレ Toilette トイレッテ |

私の荷物が見当たらない。
Ich kann mein Gepäck nicht finden.
イッヒ カン マイン ゲペック ニヒトゥ フィンデン

男 Herren ヘレン
女 Damen ダーメン

| ホテル Hotel ホテル | ペンション Pension ペンズィオーン | 宿 Gasthaus ガストゥハウス | ユース Jugendherberge ユーゲントゥヘァバァゲ |

8

空港→宿

★3.期間 泊で ★2.備品 付きの ★種類 をひとつ(△) 探しています。

Ich suche ein (△) ★1 mit ★2 für ★3 .
イッヒ ズーヘ アイン　　　　ミットゥ　　　フェア

★1. 部屋の種類

シングルルーム
Einzelzimmer
アインツェルツィマア

ダブルルーム
Doppelzimmer
ドッペルツィマア

○人用の部屋
Zimmer für ○ Personen
ツィマア フェア ペアゾーネン

ベッド
ein Bett (en)
アイン ベットゥ (ベッテン)

★2. 備品

部屋に○はありますか？
Gibt es ○ im Zimmer?
ギブトゥ エス ○ イム ツィマア？

トイレ
WC
ヴェーツェー

シャワー
Dusche
ドゥーシェ

バス
Bad
バートゥ

電話
Telefon
テレフォン

テレビ
Fernseher
フェアンゼーア

朝食
Frühstück
フリューシュテュック

★3. 期間

どのくらい？
wie lange?
ヴィ ランゲ

一泊
eine Nacht
アイネ ナハトゥ

○泊
○ Nächte
ネヒテ

一週間
eine Woche(n)
アイネ ヴォッヘ(ン)

駅の近く
in der Nähe vom Bahnhof
イン デア ネーエ フォム バーンホフ

街の中心に
in der Stadtmitte
イン デア シュタットゥミッテ

一泊いくら？
Wieviel kostet es pro Nacht?
ヴィフィール コステットゥ エス プロ ナハトゥ？

部屋を見せていただけますか？
Kann ich das Zimmer sehen?
カン イッヒ ダス ツィマア ゼーエン？

～な部屋にして下さい。
～, bitte
ビッテ

もっと安い
billigeres
ビリゲレス

もっといい
besseres
ベッセレス

もっと小さい
kleineres
クライネレス

もっと広い
größeres
グローセレス

移動｜あいさつ｜地図｜数字買物｜時間｜食事｜文化｜人家｜トラブル｜その他

9

乗り物 Öffentliche Verkehrsmittel
オェッフェントゥリッヒェ　フェアケアスミッテル

電車 Zug ツーク

この電車は □ へ行きますか？
Fährt dieser Zug nach □ ?
フェーアトゥ　ディーザァ　ツーク　ナッハ

□ はどうやって行けますか？
Wie komme ich nach □ ?
ヴィー　コメ　イッヒ　ナッハ

どのくらい時間がかかりますか？
Wie lange dauert es?
ヴィー　ランゲ　ダウエァトゥ　エス

□ までいくらですか？
Was kostet es nach □ ?
ヴァス　コステットゥ　エス　ナッハ

□ 行きの切符を一枚ください。 *
Eine Fahrkarte nach □, bitte.
アイネ　ファーカァテ　ナッハ　ビッテ

片道
einfach
アインファッハ

往復
Hin und zurück
ヒン　ウントゥ　ツルュック

次の □ 行き電車は何時出発ですか？
Wann fährt der nächste Zug nach □ ab?
ヴァン　フェーアトゥ　デァ　ネクステ　ツーク　ナッハ　アップ

□ 行きの電車は何番ホームから出発しますか？
Von welchem Gleis fährt der Zug nach □ ab?
フォン　ヴェルヒェム　グライス　フェーアトゥ　デァ　ツーク　ナッハ　アップ

どこで乗り換えなくてはなりませんか？
Wo soll ich umsteigen?
ヴォ　ゾル　イッヒ　ウムシュタイゲン

ここ空いてますか？
Ist hier noch frei?
イストゥ　ヒーア　ノッホ　フライ

ええ、どうぞ
Ja, bitte.
ヤ　ビッテ

空いてません
Leider besetzt.
ライダァ　ベゼットゥ

一席（□席）予約したい。 **
Ich möchte einen Platz (□ Plätze) reservieren.
イッヒ　モヒテ　アイネン　プラッツ　（プレッツェ）　レザァヴィーレン

オープンサロン
Großraum
グロースラウム

喫煙
Raucher
ラオハァ

窓側
am Fenster
アム　フェンスタァ

コンパートメント
Abteil
アップタイル

禁煙
Nichtraucher
ニヒトゥラオハァ

通路側
am Gang
アム　ガング

* 乗り換えがある時など、時刻表をもらっておくといい。 ** クリスマス、イースター学校の長期休暇前後の週末は特に混むので予約した方が無難。なお、予約済みの席には、席の上の荷台に区間が表示されているので、予約をしていないときは、それ以外の区間なら座ってOK。

乗り物

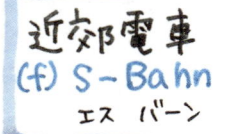

到着 Ankunft アンクンフトゥ	出発 Abfahrt アップファートゥ	ホーム Gleis グライス
時刻表 Fahrplan ファーァプラン	遅れ Verspätung フェアシュペートゥング	出口 Ausgang アウスガング

近郊電車 (f) S-Bahn エス バーン	市電 (f) Straßenbahn シュトゥラッセンバーン	地下鉄 (f) U-Bahn ウー バーン	バス (m) Bus ブス

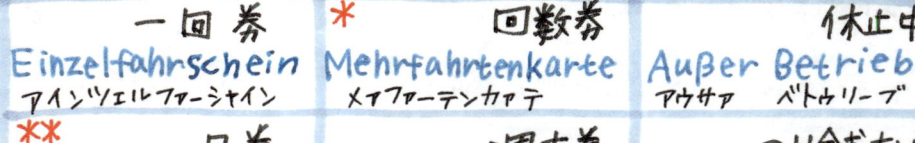

どこで切符を買えますか？
Wo kann ich einen Fahrschein kaufen?
ヴォ カン イッヒ アイネン ファーァシャイン カウフェン

この□は中央駅を通りますか？
Fährt diese(f) / dieser(m) □ am Hauptbahnhof vorbei?
フェーァトゥ ディーゼ ディーザァ アム ハウプトゥバーンホフ フォァバイ

一回券 Einzelfahrschein アインツェルファーァシャイン	＊ 回数券 Mehrfahrtenkarte メァファーテンカァテ	休止中 Außer Betrieb アウサァ ベトゥリープ
＊＊ 一日券 Tageskarte ターゲスカァテ	週末券 Wochenendticket ヴォヘンエンドゥティケットゥ	つり銭なし Kein Wechselgeld カイン ヴェクセルゲルトゥ

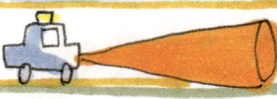

タクシー **Taxi** タクシー

この住所までお願いします。
Bis zu dieser Adresse, bitte.
ビス ツー ディーザァ アドゥレッセ ビッテ

ここで止めて下さい。
Halten Sie bitte hier an.
ハルテン ズィー ビッテ ヒァ アン

△ユーロでお願いします。
△ Euro, bitte.
(数字) オイロ ビッテ

おつりはいりません。
Stimmt so.
シュティムトゥ ソー

＊たいてい4回分で、複数人の時は人数分を刻印する。(グルッペンターゲスカァテ)　＊＊刻印時刻からキッカリ24時間有効。グループ用はGruppentageskarte　＊＊＊ドイツには改札口がない。その代わりで抜き打ちで検査に来る。もし、切符を持っていなかったら罰金を払うハメになるので注意。

レンタカー Mietwagen
ミートゥワーゲン

車を借りたいのですが。
Ich möchte ein Auto mieten.
イッヒ モエヒテ アイン アウト ミーテン

☐ 日間
für ☐ Tage
フュア ターゲ

週末を通して
fürs Wochenende
フュアス ヴォッヘンエンデ

小型車	中型車	大型車	マニュアル
Kleinwagen クラインワーゲン	Mittelklasse ミッテルクラッセ *	Oberklasse オーバクラッセ *	Hand-Schaltung ハンドゥシャルトゥング
ワゴン・バン	スポーツカー	オープンカー	オートマ
Kombi コンビ	Sportwagen シュポットゥワーゲン	Cabrio カーブリオ	Automatik アウトゥマーティック

一日あたりいくらですか？
Was kostet das pro Tag?
ヴァス コステットゥ ダス プロ ターク

保険は含まれますか？ **
Ist die Versicherung inklusive?
イストゥ ディ フェアズィッヒャルング インクルズィーヴェ

北 Nord ノルドゥ	南 Süd ズュードゥ
西 West ヴェストゥ	東 Ost オストゥ

☐ はついていますか？
Gibt es ☐ im Auto?
ギプトゥ エス イム アウト

ラジオ
(n) **ein Radio**
アイン ラディオ

エアバック
Airbags
エアベーックス

パワステ
(f) **eine Servolenkung**
アイネ サァヴォレンクング

エアコン
(f) **eine Klimaanlage**
アイネ クリマアンラーゲ

サンルーフ
(n) **ein Schiebedach**
アイン シーベダッハ

空港で車を返却したい。
Ich möchte das Auto am Flughafen abgeben.
イッヒ モエヒテ ダス アウト アム フルークハーフェン アップゲーベン

子供用シートがひとつ（☐ 個）必要です。
Ich brauche einen Kindersitz (☐ Kindersitze)
イッヒ ブラウヘ アイネン キンダーズィッツ （キンダーズィッツェ）

→数字 P.3
→数字 P.32

⑫ *車のカテゴリーはレンタカー会社によって異なるが、実物を見て「これにします=Ich nehme das（イッヒ ネーメ ダス）」と伝えればOK。なお車により年令制限があるので注意。**たいてい諸保険は含まれているが、一応確認した方がいい（各保険の名前は独和単語集参照）。なお、複数人が運転する場合は、それぞれの名前を伝えておくこと！

移動 / Mietwagen

レンタカー

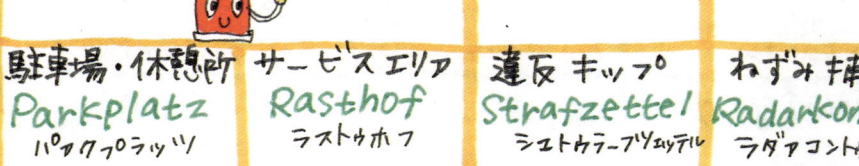

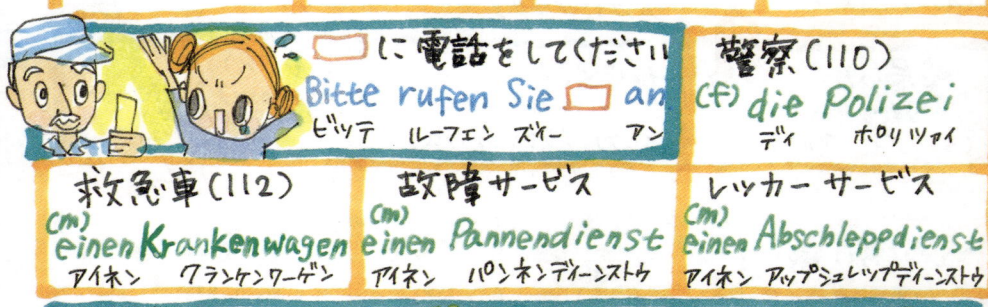

道路標識 Verkehrsschilder フェアケーアスシルダァ

通行禁止		子供の遊び場注意	一方通行 Einbahnstraße	
*1 優先道路	*1 優先道路	*2 対向車優先	この先行きどまり	迂回 Umleitung ウムライトゥング
一時停止 STOP	優先道路注意	*3 ロータリー	*4 追い越し禁止	工事中
高速へA2 ベルリン方面入口 Berlin	高速出口 Ausfahrt アウスファート	高速道路	高速道路ここまで	インターチェンジ

ガソリンスタンド Tankstelle タンクシュテレ	ガソリン Benzin ベンツィーン	ディーゼル Diesel ディーゼル	地図 Atlas アトゥラス
駐車場・休憩所 Parkplatz パァクプラッツ	サービスエリア Rasthof ラストゥホフ	違反キップ Strafzettel シュトゥラーフツェッテル	ねずみ捕り Radarkontrolle ラダァコントゥローレ

☐に電話をしてください Bitte rufen Sie ☐ an ビッテ ルーフェン ズィー アン		警察(110) (f) die Polizei ディ ポリツァイ
救急車(112) (m) einen Krankenwagen アイネン クランケンワーゲン	故障サービス (m) einen Pannendienst アイネン パンネンディーンストゥ	レッカーサービス (m) einen Abschleppdienst アイネン アップシュレップディーンストゥ

事故を起こした Ich habe einen Unfall gebaut. イッヒ ハーベ アイネン ウンファル ゲバウトゥ	タイヤがパンクした Ein Reifen ist geplatzt. アイン ライフェン イストゥ ゲプラッツトゥ

*1 「優先道路」の標識がないときは、自分の右側の車に優先権がある。 *2 右側が黒い矢印の時は自分に優先権がある。 *3 基本的にロータリー内の車が優先。出るときにウインカーをつけると、外で待っている車へ合図となるのでした方がいい。 *4 ドイツでは追い越しは左車線。

移動 / あいさつ / 地図 / 数字買物 / 時間 / 食事 / 文化 / 人家 / トラブル / その他

街を歩く Auf der Straße
アウフ デア シュトゥラッセ

どこへ行きたいのですか？
Wo wollen Sie hin?
ヴォ ヴォレン ズィー ヒン

☐ はどこですか？
Wo ist ☐ ?
ヴォ イストゥ

☐ へ行きたい。
Ich möchte ☐ gehen.
イッヒ モェヒテ ゲーエン

↑下の表から☐に入るものを選ぶ←

駅(へ)	バス停(へ)	ホテル(へ)
(Zum) Bahnhof	(zur) Bushaltestelle	(ins) Hotel
(ツム) バーンホフ	(ツア) ブスハルテシュテル	(インス) ホテル
銀行(へ)	郵便局(へ)	警察(へ)
(auf die) Bank	(auf die) Post	(zur) Polizei
(アウフ ディ) バンク	(アウフ ディ) ポストゥ	(ツア) ポリツァイ
スーパー(へ)	市場(へ)	キオスク(へ)
(in den) Supermarkt	(auf den) Markt	(zum) Kiosk
(インデン) ズーパーマァクトゥ	(アウフ デン) マァクトゥ	(ツム) キオスク
レストラン(へ)	カフェ(へ)	居酒屋(へ)
(ins) Restaurant	(ins) Café	(in die) Kneipe
(インス) レストラーン	(インス) カフェ	(インディ) クナイペ
博物館(へ)	劇場(へ)	映画館(へ)
(ins) Museum	(ins) Theater	(ins) Kino
(インス) ムゼウム	(インス) テアタア	(インス) キノ
薬局(へ)	病院(へ)	トイレ(へ)
(in die) Apotheke	(ins) Krankenhaus	(auf die) Toilette
(インディ) アポテーケ	(インス) クランケンハウス	(アウフ ディ) トイレッテ

男 **Herren** ヘレン　**Damen** ダーメン 女

どのくらい遠い？
Wie weit?
ヴィー ヴァイトゥ

歩いて
zu Fuß
ツー フース

とても	近い
sehr〜	**nah**
ゼア	ナー
そんなに〜ない	遠い
nicht so〜	**weit**
ニヒトゥ ソー	ヴァイトゥ

街を歩く

どんな観光名所がありますか？
Was für Sehenswürdigkeiten gibt es hier?
ヴァス フュア ゼーエンスヴェウディッヒカイテン ギブトゥ エス ヒーア

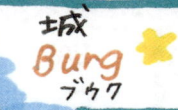

城 **Schloß** シュロス	城 **Burg** ブウク	廃墟 **Ruine** ルイーネ
聖堂 **Dom** ドム	聖堂 **Münster** ミュンスタア	教会 **Kirche** キァヒェ
旧市街 **Altstadt** アルトゥシュタットゥ	市庁舎 **Rathaus** ラートゥハウス	修道院 **Kloster** クロースタア
門 **Tor** トア	塔 **Turm** トゥアム	壁 **Mauer** マウアァ
木骨家屋 **Fachwerkhaus** ファッハヴェアクハウス	記念碑・記念像 **Denkmal** デンクマール	広場 **Platz** プラッツ

道に迷った。
Ich habe mich verlaufen.
イッヒ ハーベ ミッヒ フェアラウフェン

道を教えていただけますか？
Können Sie mir den Weg zeigen?
コエンネン ズィー ミア デン ヴェーク ツァイゲン

道 **Straße** シュトゥラーセ	角 **Ecke** エッケ
交差点 **Kreuzung** クロイツングゥ	信号 **Ampel** アムペル

まっすぐに **geradeaus** ゲラーデアウス

左へ **links** リンクス　　右へ **rechts** レヒツ

後ろへ **zurück** ツルエック

～のそばに **neben～** ネーベン	～の後ろに **hinter～** ヒンタァ

こちら側 **diese Seite** ディーゼ ザイテ	あちら側 **andere Seite** アンデレ ザイテ

移動 | あいさつ | 地図 | 数字・買物 | 時間 | 食事 | 文化 | 人家 | トラブル | その他

15

遊ぶ Freizeit
フライツァイト

☐ をみたい。
Ich möchte ☐ schauen
イッヒ モエヒテ シャウエン

今日の夜、何かおもしろいイベントある？
Gibt es etwas interessantes heute abend?
ギブトゥ エス エトヴァス インテレザンテス ホイテ アーベントゥ

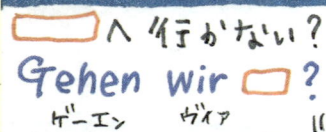

コンサート(n)
Konzert
コンツェアトゥ

演劇(n)
Theater
テアタア

映画(m)
Film
フィルム

バレエ(n)
Ballet
バレットゥ

☐ へ行かない？
Gehen wir ☐ ?
ゲーエン ヴィア

☐ へ行きたい。
Ich möchte ☐ gehen.
イッヒ モエヒテ ゲーエン

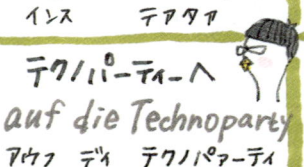

映画館へ
ins Kino
インス キノ

劇場へ
ins Theater
インス テアタア

コンサートへ ＊
zum Konzert
ツム コンツェアトゥ

ディスコへ
in die Disco
イン ディ ディスコ

テクノパーティーへ
auf die Technoparty
アウフ ディ テクノパァーティ

ワイン祭りへ
auf das Weinfest
アウフ ダス ヴァインフェストゥ

どこで イベントプログラムは手に入る？
Wo kriege ich einen Veranstaltungskalender?
ヴォ クリーゲ イッヒ アイネン フェアアンシュタルトゥングスカレンダァ

今日 誰が演奏(公演)するの？
Wer spielt heute?
ヴェア シュピールトゥ ホイテ

どこで チケットを買える？
Wo kann ich mir Tickets kaufen?
ヴォ カン イッヒ ミア ティケッツ カウフェン

☐ は どこで開催されるのですか？
Wo findet ☐ statt?
ヴォ フィンデットゥ シュタットゥ

開演は いつですか？
Wann fängt die Vorstellung an?
ヴァン フェングトゥ ディ フォアシュテルング アン

16 ＊「クラシックのコンサートへ」は、「ins Konzert(インス コンツェアトゥ)」。

遊ぶ

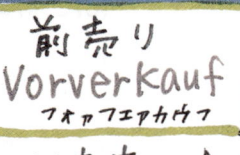

入場料はいくらですか？
Was kostet der Eintritt?
ヴァス コステットゥ デア アイントゥリットゥ

Mとり（　人）分、お願いします。
Für eine Person(en), bitte.
フュア アイネ ペアゾーン（ペアゾーネン）ビッテ

前売り	当日売り ＊	売り切れ ＊＊
Vorverkauf	Abendkasse	Ausverkauft
フォアフェアカウフ	アーベントゥカッセ	アウスフェアカウフトゥ
いす席	立ち見席	割り引
Sitzplatz	Stehplatz	Ermäßigung
ズィッツプラッツ	シュテープラッツ	エアメースイグング
クローク	ホール	アンコール
Garderobe	Saal	Zugabe!
ガアデローベ	ザアル	ツーガーベ

どうだった？	すっごいよかった！	よかった！
Wie war's?	Super!	Toll!
ヴィー ヴァアス	ズーパア	トル
悪くないねぇ	まぁまぁ	つまんない…
Nicht Schlecht.	Geht so.	Langweillig
ニヒトゥ シュレヒトゥ	ゲートゥ ソー	ラングヴァイリック

どのディスコがはやりなの？
Welche Disco ist in?
ヴェルヒェ ディスコ イストゥ イン？

今日は何の音楽？
Was für eine Musik läuft heute?
ヴァス フュア アイネ ムズィーク ロイフトゥ ホイテ？

踊らない？
Wollen wir tanzen?
ヴォレン ヴィア タンツェン？

Mと休みするよ。
Ich mach mal Pause.
イッヒ マッハ マール パウゼ

学生の日 ＊＊＊	ダンスフロア	身分証明書
Studententag	Tanzfläche	Personalausweis
シュトゥデンターク	タンツフレッヒェ	パアソナルアウスヴァイス

移動／あいさつ／地図／数字・買物／時間／食事／文化／人・家／トラブル／その他

＊昼間の公演の時は「Tageskasse（ターゲスカッセ）」。 ＊＊ダフ屋は「Schwarzmarkt（シュヴァァツマァクトゥ）」。 ＊＊＊この日は学生は入場料がタダになるので学生証＝Studentenausweis（シュトゥデンテンアウスヴァイス）を入口で提示する。

あいさつ Grüße
グリューセ

| やあ Hallo ハロ | (南部地方)＊ Grüß dich グリュース ディッヒ | (南部地方) Servus ゼアヴス | (北部地方) Moin Moin モイン モイン |

おはよう Guten Morgen グーテン モアゲン

こんにちは Guten Tag グーテン ターク ＊＊

こんばんは Guten Abend グーテン アーベントゥ

おやすみ Gute Nacht グーテ ナハトゥ

お元気ですか？ Wie geht es Ihnen? ヴィ ゲートゥ エス イーネン

調子どう？ Wie geht's? ヴィ ゲーツ

ありがとう、□□だよ。 Danke, □□. ダンケ

バッチリ！ Bestens! ベステンス

(とっても)いい (ganz) gut (ガンツ) グートゥ

まあね Geht's so ゲーツ ソー

まあまあかな So lala ソー ララ

あなた(君)は？ Und Ihnen (Dir)? ウントゥ イーネン (ディア)

よくない(悪くない) Nicht gut (schlecht) ニヒトゥ グートゥ (シュレヒトゥ)

最悪 miserabel ミゼラーベル

(どうも)ありがとう Danke (schön) ダンケ (シェーン)

どういたしまして Bitte (schön) ビッテ (シェーン)

～ありがとう Danke für～ ダンケ フェアー

お礼にはおよびません Nichts zu danken. ニヒツ ツー ダンケン

招待 die Einladung ディ アインラードゥング

食事 das Essen ダス エッセン

手助け die Hilfe ディ ヒルフェ

＊バイエルンでは「Grüße Gott(グリュース ゴットゥ)」。 ＊＊パン屋さんなど小売店やレストランなどに入ったら、まず店員さんに時間に合ったあいさつをしよう。

あいさつ

すいません
Entschuldigung
エントゥシュルディグング
道ばたで人とぶつかった時など、英語の「Sorry」もよく使われる。

大丈夫です
Das macht nichts.
ダス マハトゥ ニヒツ

たいしたことないですよ
Es ist nicht schlimm.
エス イストゥ ニヒトゥ シュリム

(誰かがくしゃみをしたら)
Gesundheit!
ゲズントゥハイトゥ

(たいへん)申しわけありません ＊
Es tut mir (sehr) leid.
エス トゥートゥ ミア (ゼア) ライドゥ

(言われたら)ありがとう
Danke.
ダンケ

お大事に
Gute Besserung
グーテ ベッセルング

(お誕生日)おめでとう
Herzlichen Glückwunsch (zum Geburtstag)
ヘアツリッヒエン グリュックヴンシュ (ツム ゲブウツターク)

メリークリスマス！
Frohe Weihnachten!
フローエ ヴァイナハテン

ありがとう。あなた(君)もね。
Danke, ebenfalls.
ダンケ, エーベンファルス

＊＊ またね
Bis dann.
ビス ダン

また後で
Bis später.
ビス シュペータア

また明日
Bis Morgen.
ビス モアゲン

エンジョイしてね
Viel Spaß!
フィール シュパース

よい旅行を
Gute Reise.
グーテ ライゼ

元気でね ＊＊＊
Mach's gut!
マハス グートゥ

バイバイ
Tschüß
チュス
友達間ではイタリア語の「Ciao(チャオ)」も使われる。

さようなら
Auf Wiedersehen.
アウフ ヴィーダーゼーエン

さようなら(電話にて)
Auf Wiederhören.
アウフ ヴィーダーホェーレン

また会おう！
Man sieht sich!
マン ズィートゥ ズィッヒ

＊他に「お気の毒です」という意味もある。 ＊＊例以外にも「Bis+(時間を表す言葉)」で、「また〜ね」と言い表せる。 ＊＊＊丁寧な言い方は「Machen Sie es gut.(マッヘン ズィー エス グートゥ)」。

あいさつ／地図／数字買物／時間／食事／文化／人家／トラブル／その他

呼びかけ Ansprechen
アンシュプレッヘン

| 男の人 **Herr** ヘア | 女の人 **Frau** フラウ | お嬢さん **Fräulein** フロイライン |

あのー、すみません **Entschuldigung** エントゥシュルディグング

はい、何か？ **Ja, bitte?** ヤ、ビッテ

〜していただけますか？ **Könnten Sie 〜?** コェンテン ズィー

| 手を貸す **mir helfen.** ミア ヘルフェン | 窓を閉める **das Fenster zumachen** ダス フェンスタァ ツーマッヘン | 窓を開ける **das Fenster aufmachen** ダス フェンスタァ アウフマッヘン |
| 私たち(私)の写真を撮る **uns(mich) fotografieren** ウンス(ミッヒ) フォトグラフィーレン | ゆっくり話す **langsam sprechen** ラングザム シュプレッヒェン | 席をつめる **weiter rutschen** ヴァイター ルッチェン |

〜してもいいですか？ **Darf ich 〜?** ダァフ イッヒ

| タバコを吸う **rauchen** ラオヘン | 通る **mal durch** マール ドゥヒ | 電気をつける(消す) **das Licht an (aus) machen** ダス リヒトゥ アン(アウス) マッヘン |

はい **Ja** ヤ

いいえ **Nein** ナイン

もちろん／確かに **Sicher** ズィッヒァア	もちろん **Selbstverständlich** ゼルプストゥフェアシュテンドゥリッヒ
お好きなように ** **Wie Sie wollen.** ヴィー ズィー ヴォレン	どうでもいいよ **Ist mir egal** イストゥ ミア エガーレ
残念ながらムリです **Leider nicht.** ライダア ニヒトゥ	絶対ダメ！ **Auf gar keinen Fall.** アウフ ガア カイネン ファル

⾷ 友達の間で「〜してもらえる？」は「**Könntest du 〜?**(コェンテストゥ ドゥ〜)」。もしくはもっとくだけて「**Kannst du 〜?**(カンストゥ ドゥ〜)」。 ⾷⾷「君の好きなように」は「**Wie du willst**(ヴィー ドゥ ヴィルストゥ)」。

理解していただけましたか？	わかった？
Haben Sie mich verstanden?	Alles Klar?
ハーベン ズィー ミッヒ フェアシュタンデン？	アレス クラァ？

えっ？（聞き返すとき）	もう一度、お願いします
Wie bitte?	Noch einmal, bitte.
ヴィー ビッテ？	ノッホ アインマール ビッテ

（もっと）ゆっくりお願いします	ちょっと待って下さい
Langsam(er), bitte	Einen Moment, bitte.
ラングザム（ラングザマァ） ビッテ	アイネン モメントゥ ビッテ

呼びかけ

あーそう	そうなの？	ばかばかしい！	本当？
Ach so	Ach ja?	Ach was!	Echt?
アッハ ソー	アッハ ヤ？	アッハ ヴァス！	エヒトゥ？
いいねぇ！	いいぞー！	すばらしい！	すっげー！
Cool!	Bravo!	Toll!	Geil!
クール	ブラーヴォ	トル！	ガイル
残念…	ラッキーだったネ！	おっと！	ったく！
Schade	Glück gehabt	Ups!	Mensch!
シャーデ	グリュック ゲハプトゥ	ウップス！	メンシュ！
イタッ！	チェッ！	あー、もー！	くそー！
Aua!	Mist!	Oh, man!	Scheiße
アウア！	ミストゥ！	オー マン！	シャイセ

電話する **telefonieren** テレフォニーレン

（電話をかけたとき）もしもし、☐です。	私だよ。
Hallo, hier ist ☐.	Ich bin's.
ハロー ヒーア イストゥ	イッヒ ビンス

（かかってきたとき）はい、☐です。	（混線で聞きづらいとき）もしもーし？
Ja, ☐.	Sind Sie noch dran?
ヤ	ズィントゥ ズィー ノッホ ドゥラン

☐と話したいのですが？	☐はいますか？
Ich möchte mit ☐ sprechen.	Ist ☐ da?
イッヒ モェヒテ ミットゥ シュプレッヘン	イストゥ ダ

あいさつ｜地図｜数字買物｜時間｜食事｜文化｜人家｜トラブル｜その他

自己紹介 Persönliche Vorstellung
ペァゾェーンリッヒェ フォァシュテルング

はじめまして
Ich freue mich, Sie kennen zu lernen.
イッヒ フロイエ ミッヒ ズィー ケンネン ツー レアネン *

こちらこそ
Ganz meinerseits.
ガンツ マイナーザイツ

あなたの名前は何ですか？
Wie heißen Sie?
ヴィー ハイセン ズィー？

私の名前は☐です。
Ich heiße ☐
イッヒ ハイセ **

何歳ですか？
Wie alt sind Sie?
ヴィー アルトゥ ズィントゥ ズィー

☐歳です。 →数字 P32
(Ich bin) ☐ Jahre alt.
(イッヒ ビン) ヤーレ アルトゥ

職業は何ですか？ ***
Was sind Sie von Beruf?
ヴァス ズィントゥ ズィー フォン ベルーフ

私は☐です。
Ich bin ☐.
イッヒ ビン

ここでは「主婦」を除いて全て男性形。女性形は第3部の単語集を参照。

学生 Student シュトゥデント	生徒 Schüler シューラァ	見習い Azubi アツビ
サラリーマン Angestellter アンゲシュテルタァ	公務員 Beamter ベアムタァ	教師 Lehrer レーラァ	医者 Arzt アァツトゥ
銀行員 Bankkaufmann バンクカウフマン	事務員 Bürokaufmann ビューロークァフマン	エンジニア Ingenieur インジェニーァ	技師 Techniker テヒニカァ
店員 Verkäufer フェアコイファァ	事業家 Unternehmer ウンタァネーマァ	主婦 Hausfrau ハウスフラウ	失業している arbeitslos アァバイツロース

22 * 意味的には「あなたに知り合えて嬉しいです」。** 簡単に「Ich bin (名前)」でも充分。*** 簡単に「何をしているの？=Was machen Sie?(ヴァス マッヘン ズィー？)」と職業をたずねることもできる。

自己紹介

どこから来ましたか？	◻から来ました。
Wo kommen Sie her?	Ich komme aus ◻.
ヴォ コメン ズィー ヘア？	イッヒ コメ アウス

日本 🇯🇵	ドイツ 🇩🇪	フランス 🇫🇷	スイス (から) 🇨🇭
Japan	Deutschland	Frankreich	die Schweiz (der)
ヤーパン	ドイチュラントゥ	フランクライヒ	ディ(デア) シュヴァイツ
中国 🇨🇳	イギリス 🇬🇧	イタリア 🇮🇹	スペイン 🇪🇸
China	England	Italien	Spanien
ヒーナ／キーナ	エングランドゥ	イターリエン	シュパーニエン
韓国 🇰🇷	アメリカ合衆国 USA	ロシア 🇷🇺	ギリシア 🇬🇷
Südkorea	USA	Russland	Griechenland
ズュードゥコレア	ウーエスアー	ルスランドゥ	グリーヒェンランドゥ

趣味は何ですか？	私の趣味は◻です。
Was ist Ihr Hobby?	Mein Hobby ist ◻.
ヴァス イストゥ イア ホビー？	マイン ホビー イストゥ

読書	音楽鑑賞	映画鑑賞	ダンス
Lesen	Musik hören	Film anschauen	Tanzen
レーゼン	ムズィーク ホェーレン	フィルム アンシャウエン	タンツェン
旅行	ショッピング	食べ歩き	ネットサーフィン
Reisen	einkaufen	Essen gehen	Internet surfen
ライゼン	アインカウフェン	エッセン ゲーエン	インターネットゥ サーフェン
スポーツする	スポーツ観戦	友だちと会う	パーティ
Sport treiben	Sport zuschauen	Freunde treffen	Feste feiern
シュポルトゥ トゥライベン	シュポルトゥ ツーシャウエン	フロインデ トゥレッフェン	フェステ ファイエン

私は◻です。	既婚	未婚
Ich bin ◻.	verheiratet	ledig
イッヒ ビン	フェアハイラーテットゥ	レーディック

あいさつ｜地図｜数字買物｜時間｜食事｜文化｜人家｜トラブル｜その他

ジェスチャー Körpersprache
コェァパァシュプラッヘ

Körpersprache / 移動 / あいさつ

「気をつけろよ」
"Pass auf!"
パス アウフ

人差し指を立てて、左右に数回振る。

「さあね」
"Keine Ahnung."
カイネ アーヌング

肩をすくめる

「飲みに行こう！」＊
"Gehen wir etwas trinken!"
ゲーエン ヴィア エトヴァス トゥリンケン

親指と小指を立てて飲むフリをする。

「おいしい！」
"lecker!"
レッカァ

全ての指先を合わせて口にあて投げキッスをするような感じ。その際、手を開く。

「どうでもいいよ」
"Ist mir egal."
イストゥ ミァ エガール

肩越しに物を投げる感じ

「電話しようね」
"Telefonieren wir!"
テレフォニーレン ヴィア

(24) ＊「ベロベロになるまでおもいっきり飲みに行こう！」は「Gehen wir was saufen!（ゲーエン ヴィア ヴァス ザウフェン）」を使う。

ジェスチャー

「ナイス！」 "Gut!" グートゥ / "Schön!" シェーン

「バカじゃない！」 "Blöd!" ブロェードゥ
手のひらを自分の方に向けて…
手を両頬の前で数回振る

「お前イカれてるよ」 "Du Spinnst!" ドゥ シュピンストゥ
「あいつおかしいぜ」 "Er/Sie Spinnt!" エア/ズィー シュピントゥ
人差し指でオデコを数回たたく

「引用符」(" ") Gänsefüßchen ゲンゼフェースヒェン
両手の人差し指と中指で " " を書く感じ

お金 Geld ゲルトゥ
指先をそろえ、親指で人差し指と中指をこすり合わせる

飲み行くから〜 電話して〜
うまいのはこればっかりね

あいさつ｜地図｜数字買物｜時間｜食事｜文化｜人家｜トラブル｜その他

25

ドイツ Deutschland
ドイチュランドゥ

移動 / あいさつ / 地図

Deutschland

私は ☐ に行ったことがある。
Ich war in ☐
イッヒ ヴァー イン

★印は州都
Landeshauptstadt
ランデスハウプトゥシュタットゥ

州
Bundesland
ブンデスラントゥ

① **Baden-Württemberg**
バーデン ヴュゥテムベァク

② **Freistaat Bayern**
フライシュタートゥ バイエゥン

③ **Berlin**
ベアリーン

④ **Brandenburg**
ブランデンブゥク

どの都市出身ですか？
Aus welcher Stadt kommen Sie?
アウス ヴェルヒャァ シュタットゥ コメン ズィー？

オランダ
die Niederlande
ディ ニーダァランデ

ベルギー
Belgien
ベルギェン

フランス
Frankreich
フランクライヒ

ルクセンブルク

スイス
die Schweiz
ディ シュヴァイツ

⑮ Kiel キール
⑤ Bremen ブレーメン
Hannover ハノーファァ
⑨
⑩
Düsseldorf デュッセルドルフ
Köln ケルン
Bonn ボン
⑪ Wiesbaden ヴィースバーデン
Frankfurt フランクフゥト
Mainz マインツ
⑫ Saarbrücken ザァブリュッケン
Heidelberg ハイデルベァク
⑦
Stuttgart シュトゥットゥガゥト
① Freiburg フライブゥク

26

ドイツ

地図 | 数字 | 買物 | 時間 | 食事 | 文化 | 人・家 | トラブル | その他

地図:
- Schwerin シュヴェリン
- Magdeburg マグデブゥク
- Leipzig ライプツィッヒ
- Dresden ドレスデン
- Weimar ヴァイマァ
- Erfurt エアフゥトゥ
- Rothenburg ローテンブゥク
- Nürnberg ニュゥンベゥク
- Regensburg レーゲンスブゥク
- München ミュンヘン
- Füssen フュッセン

周辺国:
- ポーランド Polen ポーレン
- チェコ Tschechien チェキエン
- オーストリア Österreich オェーステライヒ

州一覧:

⑤ Freie Hansestadt Bremen
フライエ ハンゼ シュタットゥ ブレーメン

⑥ Freie und Hansestadt Hamburg
フライエ ウントゥ ハンゼ シュタットゥ ハンブゥク

⑦ Hessen
ヘッセン

⑧ Mecklenburg-Vorpommern
メクレンブゥク フォァポムメァン

⑨ Niedersachsen
ニーダァ ザクセン

⑩ Nordrhein-Westfalen
ノゥドゥライン ヴェストゥファーレン

⑪ Rheinland-Pfalz
ラインラントゥ プファルツ

⑫ Saarland
ザァランドゥ

⑬ Freistaat Sachsen
フライシュタートゥ ザクセン

⑭ Sachsen-Anhalt
ザクセン アンハルトゥ

⑮ Schleswig-Holstein
シュレスヴィック ホルシュタイン

⑯ Freistaat Thüringen
フライシュタートゥ デューリンゲン

ベルリン Berlin
ベァリーン

☐に 行きたい
Ich möchte ☐ gehen.
イッヒ モェヒテ ゲーエン

☐は どこですか？
Wo ist ☐?
ヴォ イストゥ

移動 / あいさつ / 地図

Berlin

KAISERIN AUGUSTA ALLEE
TEELER WEG
SPANDAUER DAMM
KAISER FRIEDRICH STR
FRANKLIN STR
シュプレー川
LESSING STR
ALTONAER STR
OTTO-SUHR-ALLEE
ランドヴェール運河
⑯ BISMARCK STR
ミラー劇場
HARDENBERG STR
KANT STR
BUDAPESTER STR
KURFURSTENDAMM
AUGSBURGER STR
TAUENTZIEN STR
LIETZENBURGER STR

① カイザーウイルヘルム記念教会	② 戦勝記念塔	③ 国会議事堂
Kaiser Wilhelm Gedächtniskirche カイザァ ヴイルヘルム ゲデヒトゥニスキァヒェ	**Siegessäule** ズィーゲスゾイレ	**Reichstagsgebäude** ライヒスタークスゲボイデ
④ 動物園	⑤ ベルビュー城	⑥ ベルリン聖堂
Zoologischer Garten ツォーロギッシァ ガァテン	**Schloß Bellevue** シュロス ベルビュー	**Berliner Dom** ベァリーナァ ドム
⑦ シャーロッテンブルク城	⑧ ブランデンブルグ門	⑨ 市庁舎
Schloß Charlottenburg シュロス シャァロッテンブルク	**Brandenburger Tor** ブランデンブゥガァ トァ	**Rotes Rathaus** ローテス ラートゥハウス

私は今どこにいますか？
Wo bin ich jetzt?
ヴォ ビン イッヒ イェッツト

□の近くに
in der Nähe von □
インデア ネーエ フォン

□の遠くに
weit von □
ヴァイトゥ フォン

ベルリン

- 森鴎外記念館
- WILHELM PIECK
- WILHELM STR.
- HEIDE STR.
- PAUL STR.
- コングレスホール
- STR. DES 17 JUNI
- BELLEVUE ALLEE
- ENTLASTUNGS-S
- EBERT STR.
- ティアーガルテン
- コンサートホール
- TIERGARTEN STR.
- バウハウス
- HOFJÄGER ALLEE
- KURFÜRSTEN STR.
- POTSDAMER STR.
- ポツダム広場
- 国立図書館
- FRIEDRICH STR.
- LEIPZIGER STR.
- UNTER DEN LINDEN
- テレビ塔
- ドーム
- LINDEN STR.
- ↑ ベルリンの壁跡

地図 | 数字・買物 | 時間 | 食事 | 文化 | 人・家 | トラブル | その他

⑩ シャンダルマルクト広場
Gendarmenmarkt
シャンダルマン マァクトゥ

⑪ オペラ座
Staatsoper
シュターツ オーパァ

⑫ ベルガモン博物館
Pergamonmuseum
ペァガモン ムゼウム

⑬ 壁博物館
Haus am Checkpoint Charlie
ハウス アム チェックポイントゥ チャァリー

⑭ フンボルト大学
Humboldt Universität
フムボルトゥ ウニヴェァズィテートゥ

⑮ 新国立美術館
Neue Nationalgalerie
ノイエ ナツィオナールガレリー

⑯ ドイツオペラ劇場
Deutsche Oper
ドイチェ オーパァ

⑰ 博物館島
Museumsinsel
ムゼウムスインゼル

⑱ 旧国立美術館
Alte Nationalgalerie
アルテ ナツィオナールガレリー

お城・教会 Schlösse / Kirchen
シュロェッセ / キァヒェン

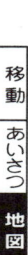

Schleß/Kirche

移動 あいさつ 地図

- Schleswig シェレスヴィク ①
- Wismar ヴィスマア ⑲
- Schwerin シュヴェリン
- Hamburg
- Berlin
- Potsdam ポツダム ③ ②
- Halberstadt ハルバァシュタットゥ
- Torgau トァガウ ④
- Aachen アァヘン ✱
- Merseburg メァゼブゥク
- Leipzig
- Köln コエルン ✱✱
- Kassel カッセル ⑦
- Naumburg ナウムブゥク
- Dresden ドゥレスデン ⑤ ⑥
- ⑧
- Marburg マァブゥク ⑳
- ㉑
- Annaberg-Buchholz アンナベァク ブーフホルツ
- Würzburg ヴェルツブゥク
- Bamberg バンベァグ
- ⑩
- Heidelberg ハイデルベァク ⑪
- Nürnberg ニュウンベァク ⑨
- Speyer スパイア
- Ludwigsburg ルードゥヴィッヒスブゥク ⑫
- ⑬ ⑱
- Ulm ウルム ✱✱✱
- München ミュンヘン ⑭
- Freiburg フライブゥク
- Füssen フュッセン ⑮ ⑯ ⑰

●	城	Schloß	シュロス	🏛	聖堂	Dom	ドム
▲	城	Burg	ブゥク	🏛	聖堂	Münster	ミュンスタァ
◆	宮殿	Residenz	レジデンツ	■	教会	Kirche	キァヒェ

30 ✱ Dom Aachen: ドイツで最初にユネスコ世界遺産とされた。936〜1531年の間に30人以上が国王として戴冠された。 ✱✱ Dom Köln: ドイツ最大のゴシック様式教会 ✱✱✱ Munster Ulm: 世界一高い塔を持つ

お城の名前

① ゴットルフ城 Schloß Gottorf シュロス　ゴットオフ	② サンスーシー城 Schloß Sanssouci シュロス　ゾンスーシー	③ 新宮殿 Neues Palais ノイエス　パレス
④ ハルテンフェルス城 Schloß Hartenfels シュロス　ハァテンフェルス	⑤ ツヴィンガー城 Zwinger ツヴィンガァ	⑥ ピルニッツ城 Schloß Pillnitz シュロス　ピルニッツ
⑦ ヴィルヘルムスヘーエ城 Schloß Wilhelmshöhe シュロス　ヴィルヘルムスヘーエ	⑧ エルツ城 Burg Eltz ブァク　エルツ	⑨ カイザーブルク城 Kaiserburg カイザァブァク
⑩ 宮殿 Residenz レズィデンツ	⑪ ハイデルベルク城 Heidelberger Schloß ハイデルベァガァ　シュロス	⑫ 宮殿 Residenzschloß レズィデンツ　シュロス
⑬ ホーエンツォレルン城 Burg Hohenzollern ブァク　ホーエンツォレルン	⑭ ニンフェンブルク城 Schloß Nymphenburg シュロス　ニュムフェンブァク	⑮ リンダーホフ城 Schloß Linderhof シュロス　リンダァホフ
⑯ ノイシュヴァンシュタイン城 Schloß Neuschwanstein シュロス　ノイシュヴァンシュタイン	⑰ ホーエンシュヴァンガウ城 Schloß Hohenschwangau シュロス　ホーエンシュヴァンガウ	⑱ リヒテンシュタイン城 Schloß Lichtenstein シュロス　リヒテンシュタイン
⑲ ニコライ教会 Nikolaikirche ニコライ　キァヒェ	⑳ エリザベス教会 St. Elisabeth Kirche ザンクトゥ　エリザベス　キァヒェ	㉑ アンネン教会 St. Annen Kirche ザンクトゥ　アンネン　キァヒェ

お城・教会

地図　数字買物　時間　食事　文化　人・家　トラブル　その他

☐ 用の入場券一枚お願いします。
Eine Eintrittskarte für ☐, bitte.
アイン　アイントゥリッツカァテ　フェア　ビッテ

学生証
Studentenausweis
シュトゥデンテンアウスヴァイス

大人 Erwachsene エァヴァクセネ	学生 Student シュトゥデントゥ	子供 Kinder キンダァ

ガイド Führung フューァルング	ドイツ語 Deutsch ドイチュ	日本語 Japanisch ヤパーニッシェ	英語 Englisch エングリッシェ

①ドイツ最古のルネッサンス城⑪5世紀にわたってプファルツの選帝侯が政治を行った。現在は廃墟化している⑫ベルサイユ宮殿にまねて造られた⑭ルードヴィッヒⅡ世ここで生まれる⑳ドイツ最古のゴシック様式教会㉑ザクセン州最大の教会

数字とお金 Ziffern/Geld
ツィッフェァン/ゲルドゥ

1 eins アインス	2 zwei * ツヴァイ	3 drei ドゥライ	4 vier フィア
5 fünf フュンフ	6 sechs ゼックス	7 sieben ズィーベン	8 acht アハトゥ
9 neun ノイン	10 zehn ツェーン	11 elf エルフ	12 zwölf ツヴォルフ
13 dreizehn ドゥライツェーン	16 sechzehn ゼヒツェーン	17 siebzehn ズィープツェーン	(他) 1△ △zehn ツェーン
20 zwanzig ツヴァンツィッヒ	30 dreißig ドゥライスィッヒ	60 sechzig ゼヒツィッヒ	70 siebzig ズィープツィッヒ
(他) △0 △zig ツィッヒ	100 hundert フンデァトゥ	1000 tausend タウゼントゥ	1000000 million ミリオーン
$\frac{1}{2}$ ein halb アイン ハルプ	$\frac{2}{3}$ zwei Drittel ツヴァイ ドリッテル	分数 ○/△ ○△tel テル	小数 △,□ △Komma□ コムマ

数字の読み方

2ケタ ★ (例) 52
Zweiundfünfzig
ツヴァイウントゥフュンフツィッヒ

3ケタ ★ (例) 346
dreihundert (und) -
sechsundvierzig
ドゥライフンデァトゥ (ウントゥ)
ゼックス ウントゥ フィアツィッヒ

4ケタ ★ (例) 3489
dreitausendvierhundert-
(und) neunundachzig
ドゥライタウゼントゥ フィアフンデァトゥ
(ウントゥ) ノイン ウントゥ アハツィッヒ

年号 ★ (例) 1950
neunzehnhundert(und)-
fünfzig
ノインツェーンフンデァトゥ (ウントゥ) フュンフツィッヒ

* 電話などでは3と間違えないよう「zwo (ツヴォー)」という。

数字とお金

私は☆回ドイツに来たことがある。
Ich war ☆ mal in Deutschland.
イッヒ ヴァ マール イン ドイチュランドゥ

それ、いくら？
Was kostet das?
ヴァス コステットゥ ダス？

値段の読み方★ € 3.40
drei (Euro und) vierzig
ドゥライ（オイロ ウントゥ）フィアツィッヒ

値段	紙へい	コイン	おつり
Preis プライス	**Schein** シャイン	**Münze** ミュンツェ	**Wechselgeld** ヴェクセルゲルトゥ
ユーロ	セント	日本円	ドイツマルクからユーロに！！
Euro オイロ	**Cent** セントゥ	**Japanischer Yen** ヤパーニッシャア イェン	

いくつ？(★うしろに類別詞がつくとき)
Wieviel(e)?
ヴィフィール

人 (★何人と聞くとき)
Person(en)
ペアゾーン（ペアゾーネン）

個 (★何個と聞くとき)
Stück(e)
シュトゥック（シュトゥッケ）

少なすぎる	少ない	少し	2〜3の
Zu wenig ツー ヴェーニッヒ	**wenig** ヴェーニッヒ	**ein bisschen** アイン ビスヒェン	**ein paar** アイン パア
若干	充分	たくさん	多すぎる
einige アイニゲ	**genug** ゲヌーク	**viel** フィール	**zu viel** ツー フィール

円をユーロにかえたい。
Ich möchte Yen in Euro wechseln.
イッヒ モエヒテ イェン イン オイロ ヴェクセルン

CAMBIO

小銭にかえていただけますか？
Könnten Sie das in Kleingeld wechseln.
コエンテン ズィー ダス イン クラインゲルトゥ ヴェクセルン

数字買物 | 時間 | 食事 | 文化 | 人家 | トラブル | その他

33

買い物 Einkaufen
アインカウフェン

☐を 買いに行く。
Ich gehe ☐ holen.
イッヒ ゲーエ ホーレン

飲み物を
ein Getränk(e)
アイン ゲトゥレンク(ゲトゥレンケ)

タバコを
Zigaretten
ツィガレッテン

街の地図を
einen Stadtplan *
アイネン シュタットゥプラン

切符を
eine Fahrkarte(n)
アイネ ファーカァテ(ン)

買い物に行く
Ich gehe einkaufen.
イッヒ ゲーエ アインカウフェン

☐はどこ？
Wo ist ☐ ?
ヴォ イストゥ

デパート
das Kaufhaus
ダス カウフハウス

スーパー
der Supermarkt
デア ズーパァマァクトゥ

パン屋
die Bäckerei
ディ ベッケライ

ドラッグストアー
die Drogerie
ディ ドゥロッゲリー

くつ屋
das Schuhgeschäft
ダス シューゲシェフトゥ

2階 **der erste Stock**
デア エァステ シュトック

宝石店
der Juwelier
デア ユヴェリアー

CD屋
der CD-Laden
デア ツェデーラーデン

1階 **das Erdgeschoß**
ダス エァドゥゲショス

電気屋
das Elektrogeschäft
ダス エレクトゥロゲシェフトゥ

洋服屋
das Kleidergeschäft
ダス クライダァゲシェフトゥ

地下 **das Untergeschoß**
ダス ウンタァゲショス

こんにちは。いらっしゃいませ（お手伝いしましょうか？）
Guten Tag, kann ich Ihnen helfen?
グーテン ターク カン イッヒ イーネン ヘルフェン

ええ、☐はありますか？
Ja, haben Sie ☐ ?
ヤ ハーベン ズィー

☐はどこですか？
Wo finde ich ☐ ?
ヴォ フィンデ イッヒ

☐を探しています。
Ich suche ☐ ?
イッヒ ズーヘ

- 洋服 P.36
- 飲み物 P.38・39
- 生活用品 P.40
- くつ P.41

* 複数形 Stadtpläne(シュタットゥプレーネ)

買い物

いいえ結構です。見ているだけです。
Nein, danke. Ich schaue mich nur um.
ナイン ダンケ イッヒ シャウエ ミッヒ ヌア ウム

これを見せていただけますか？
Könnten Sie mir das zeigen?
コェンテン ズィ ミア ダス ツァイゲン？

では、これにします。
Ich nehme es dann.
イッヒ ネーメ エス ダン

これはいくらですか？
Was kostet das?
ヴァス コステットゥ ダス？

レジはどこですか？
Wo ist die Kasse?
ヴォ イストゥ ディ カッセ

□で払います。
Ich zahle □.
イッヒ ツァーレ

現金で
in bar
イン バァ

カードで
mit Kreditkarte
ミットゥ クレディットゥカァテ

カードで払えますか？
Kann ich mit Kreditkarte bezahlen?
カン イッヒ ミットゥ クレディットゥカァテ ベツァーレン？

このままでよろしいですか？＊
Geht es so?
ゲートゥ エス ソー？

ええ。
Ja
ヤ

袋を下さい。
Eine Tüte, bitte.
アイネ テューテ ビッテ

レシートを下さい。
Den Kassenbon, bitte.
デン カッセンボン ビッテ ＊＊

ありがとう。さようなら。
Danke. Tschüß.
ダンケ チュース

これを返品したい。
Ich möchte das zurückgeben.
イッヒ モェヒテ ダス ツリュックゲーベン

これを交換したい。
Ich möchte das umtauschen
イッヒ モェヒテ ダス ウムタウシェン

値下げ
reduziert
レドゥツィーアトゥ

夏物大バーゲン
Sommerschlußverkauf
ゾムマァシュルスフェアカウフ

冬物大バーゲン
Winterschlußverkauf
ヴィンタァシュルスフェアカウフ ＊＊＊

数字│買物│時間│食事│文化│人･家│トラブル│その他

＊大きな物を買ったとき以外はたいていこう聞かれる。袋は30ペニヒ程度だが買い物袋を持ち歩くのをおすすめする。 ＊＊違うお店で誤解を招かないようレシートは必ずもらっておこう。 ＊＊＊夏は七月末、冬は一月末で目印は「SSV」または「WSV」。

35

洋服・色 Kleider/Farbe
クライダァ/ファァベ

□ は ありますか？
Haben Sie □?
ハーベン ズィー ?

□ を 探しています。 *(pl)は冠詞なし
Ich Suche einen/eine/ein □.
イッヒ ズーヘ アイネン/アイネ/アイン

ジャケット (f) Jacke(n) ヤッケ(ン)	コート (m) Mantel (Mäntel) マンテル (メンテル)	皮ジャン (f) Lederjacke(n) レーダァヤッケ(ン)	ブレザー (m) Blazer ブレイザア
カーディガン (f) Strickjacke(n) シュトゥリックヤッケ(ン)	セーター (m) Wollpulli(s) ヴォルプリ(ス)	トレーナー (m) Pulli(s) プリ(ス)	フード付きトレーナー (f) Kapuze(n) カプッツェ(ン)
スーツ (m) Anzug (Anzüge) アンツーク(アンツューゲ)	ワンピース (n) Kleid(er) クライドゥ(クライダァ)	ブラウス (f) Bluse(n) ブルーゼ(ン)	シャツ (n) Hemd(en) ヘムドゥ(ヘムデン)
スカート (m) Rock (Röcke) ロック(ロエッケ)	ズボン (f) Hose(n) ホーゼ(ン)	ジーンズ (f) Jeans ジーンズ	下着 (f) Unterwäsche(n) ウンタァヴェッシェ(ン)
アンダーシャツ (m) Unterhemd(en) ウンタァヘムドゥ(ーデン)	パンツ (f) Unterhose(n) ウンタァホーゼ(ン)	パンティ・ブリーフ (m) Slip(s) スリップ(ス)	ブラジャー (m) BH(s) ベーハー(ス)
ネグリジェ (n) Nachthemd(en) ナハトゥヘムドゥ(ーデン)	パジャマ (m) Pyjama(s) ピジャマ(ス)	ソックス (pl) Socken ゾッケン	パンスト (pl) Strümpfe シュトゥリュムプフェ
ネクタイ (f) Krawatte(n) クラヴァッテ(ン)	マフラー (m) Schal(s) シャール(ス)	スカーフ (n) Halstuch (Halstücher) ハルストゥーフ(ートューヒャア)	ベルト (m) Gürtel ギュゥテル
帽子 (f) Mütze(n) ミュッツェ(ン)	キャップ (f) Kappe(n) カッペ(ン)	手袋 (pl) Handschuhe ハンドゥシューエ	カバン (f) Tasche(n) タッシェ(ン)

移動 あいさつ｜地図｜数字・買物｜Kleider/Farbe

洋服・色

素材 Stoff シュトッフ	綿 Baumwolle バウムヴォレ	毛 Wolle ヴォレ	絹 Seide ザイデ
麻 Leinen ライネン	皮 Leder レーダァ	人造皮 kunstleder クンストレーダァ	合成 Synthetik シンテーティック	ポリエステル Polyester ポリエスタァ

試着していいですか？
Kann ich das anprobieren?
カン イッヒ ダス アンプロビーレン？

試着室 **Anprobe** アンプローベ
Umkleidekabinen ウムクライデカビーネン

① □ すぎる。
Das ist mir zu □.
ダス イストゥ ミア ツー

② □ のは ありませんか？
Haben Sie nichts □?
ハーベン ズィー ニヒツ

①
- 小さい **klein** クライン
- 大きい **groß** グロース
- 長い **lang** ラング
- 短い **kurz** クゥツ

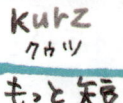

②
- もっと小さい **kleineres** クライネレス
- もっと大きい **größeres** グロェーセレス
- もっと長い **längeres** レンゲレス
- もっと短い **kürzeres** キュァツェレス

これの(色)はありますか？
Haben Sie das in (色)?
ハーベン ズィー ダス イン

気に入る（気に入らない）
Das gefällt mir (nicht) gut.
ダス ゲフェールトゥ ミア (ニヒトカ) グートゥ

色 **Farbe** ファァベ	白 **weiß** ヴァイス	黄色 **gelb** ゲルプ	オレンジ **orange** オランジェ	ピンク **rosa** ローザ
赤 **rot** ロートゥ	水色 **hellblau** ヘルブラウ	青 **blau** ブラウ	紺 **dunkelblau** ドゥンケルブラウ	紫 **lila** リラ
緑 **grün** グルューン	茶 **braun** ブラウン	こげ茶 **dunkelbraun** ドゥンケルブラウン	灰色 **grau** グラウ	黒 **schwarz** シュヴァァツ

数字買物 ｜ 時間 ｜ 食事 ｜ 文化 ｜ 家人 ｜ トラブル ｜ その他

市場 Auf dem Markt
アウフ デム マァクトゥ

何にしますか？
Was wollen Sie?
ヴァス ヴォレン ズィー

☐ をください。
☐ , bitte.
ビッテ

移動 | あいさつ | 地図 | 数字・買物

単数

りんご1個 (m)
einen Apfel
アイネン アプフェル

トマト1個 (f)
eine Tomate
アイネ トマーテ

小さなパン1個 (n)
ein Brötchen
アイン ブロェートゥヒェン

複数

バナナ3つ
3 Bananen
ドゥライ バナーネン

いちご100グラム
100 g Erdbeeren
フンデァトゥ グラム エァドゥベーレン

複数形は語尾に（ ）内をつけるか（ ）内表記。何も表記がない場合は単数形と同じ。

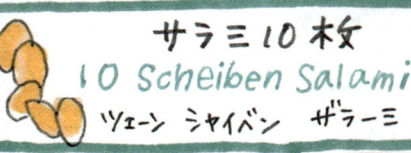

サラミ10枚
10 Scheiben Salami
ツェーン シャイベン ザラーミ

他に何か？
Sonst noch was?
ゾンストゥ ノッホ ヴァス

いいえ、結構です。
Nein, danke.
ナイン ダンケ

これで全部です。
Das wär's.
ダス ヴェアス

このままでよろしいですか？
Geht so?
ゲートゥ ソー

ハイ。
Ja
ヤ

袋をください。
Eine Tüte, bitte.
アイネ テューテ ビッテ

果物 Obst
オブストゥ

りんご (m)	バナナ (f)	オレンジ (f)
Apfel (Äpfel)	Banane(n)	Orange(n)
アプフェル（エプフェル）	バナーネ(ン)	オラーンジェ(ン)

ぶどう (f)	西洋なし (f)	さくらんぼ (f)	もも (m)
Traube(n)	Birne(n)	Kirsche(n)	Pfirsich(e)
トゥラウベ(ン)	ビアネ(ン)	キアシェ(ン)	プフィアズィッヒ(エ)

プラム (f)	いちご (f)	きいちご (f)	みかん (f)
Pflaume(n)	Erdbeere(n)	Himbeere(n)	Mandarine(n)
プフラウメ(ン)	エァドゥベーレ(ン)	ヒムベーレ(ン)	マンダリーネ(ン)

野菜 **Gemüse** ゲミューゼ	トマト (f) **Tomate**(n) トマーテ(ン)	タマネギ (f) **Zwiebel**(n) ツヴィーベル(ン)	ピーマン (f) **Paprika**(s) パプリカ(ス)
にんじん (f) **Karotte**(n) カロッテ(ン)	なす (f) **Aubergine**(n) アウバジーネ(ン)	アスパラ (m) **Spargel** シュパァゲル	マッシュルーム (m) **Champignon**(s) シャムピーニオン(ス)
キャベツ (m) **Weißkohl** ヴァイスコーレ	ネギ (m) **Lauch** ラオホ	じゃがいも (f) **Kartoffel**(n) カトッフェル(ン)	にんにく (m) **Knoblauch** クノーブラオホ
ソーセージ製品 **Wurstwaren** ヴルストヴァーレン	ソーセージ (f) **Wurst** (**Würste**) ヴルストゥ(ヴュアステ)	ハム (m) **Schinken** シンケン	サラミ (f) **Salami** ザラーミ
ベーコン (m) **Speck** シュペック	リヨン風ハム **Lyoner** リオナァ	レバーソーセージ (f) **Leberwurst** レーバァヴルストゥ	薫製ハム (m) **Räucher- schinken** ロイヒャァシンケン
魚 **Fisch** フィッシュ	さけ (m) **Lachs**(e) ラックス(セ)	ます (f) **Lachsforelle**(n) ラックスフォレーレ(ン)	かれい (f) **Scholle**(n) ショレ(ン)
うなぎ (m) **Aal**(e) アアル(レ)	イカ (m) **Tintenfisch**(e) ティンテンフィッシュ(エ)	えび (f) **Krabbe**(n) クラッベ(ン)	ムール貝 (f) **Muschel**(n) ムッシェル(ン)
パン **Brot** ブロートゥ	小さなパン (n) **Brötchen** ブレートゥヒェン	白パン (n) **Weißbrot**(e) ヴァイスブロートゥ(テ)	黒パン (n) **Schwarzbrot**(e) シュヴァツブロートゥ(テ)
ライ麦パン (n) **Roggenbrot**(e) ロッゲンブロートゥ(テ)	田舎風パン (n) **Bauernbrot**(e) バウエァンブロートゥ(テ)	全粒パン (n) **Volkornbrot**(e) フォルコァンブロートゥ(テ)	バゲット (f) **Baguette**(s) バゲッテ(バゲッツ)
チーズ (m) **Käse** ケーゼ	はちみつ (m) **Honig** ホーニック	卵 (n) **Ei**(er) アイ(アァ)	花 (f) **Blume**(n) ブルーメ(ン)

市場

数字 | 買物 | 時間 | 食事 | 文化 | 人・家 | トラブル | その他

日用品・雑貨 Der tägliche Bedarf
デァ テーグリッヒェ ベダァフ

ドラッグストア	香水	シャンプー	リンス
Drogerie	(n) Parfüm(e)	(n) Shampoo	(f) Spülung(en)
ドゥロッゲリー	パァフューム(メ)	シャムプー	シュプュールング(ゲン)
ヘアスプレー	せっけん	ブラシ	※歯みがき粉
(s) Haarspray(s)	(f) Seife(n)	(f) Bürste(n)	(f) Zahnpasta
ハァシュプレイ(ス)	ザイフェ(ン)	ビュアステ(ン)	ツァーンパスタ
歯ブラシ	ひげそり	シェービングクリーム	日焼け止めクリーム
(f) Zahnbürste(n)	(m) Rasierer	(f) Rasiercreme(s)	(f) Sonnencreme(s)
ツァーンビュアステ(ン)	ラズィーラァ	ラズィアクレーメ(ス)	ゾンネンクレーメ(ス)
※※※ティッシュ	コンドーム	ナプキン	タンポン
(n) Taschentuch	(n) Kondom(e)	(f) Binde(n)	(m) Tampon(s)
タッシェントゥフ	コンドーム(メ)	ビンデ(ン)	タムポン(ス)
バンドエイド	つめ切り	マニキュア	口紅
(n) Pflaster	(m) Nagelknipser	(m) Nagellack(e)	(m) Lippenstift(e)
プフラスタァ	ナーゲルクニプサァ	ナーゲルラック(ケ)	リッペンシュティフトゥ(テ)
アイシャドウ	電池	フィルム	ろうそく
(m) Lidschatten	(f) Batterie(n)	(m) Film(e)	(f) Kerze(n)
リドゥシャッテン	バッテリィ(エン)	フィルム(メ)	ケァツェ(ン)
文房具屋	えんぴつ	ボールペン	※※封筒
Schreibwaren-geschäft	(m) Stift(e)	(m) Kuli(s)	Umschlag
シュライブヴァレンゲシェフトゥ	シュティフトゥ(シュティフテ)	クリ(ス)	ウムシュラーグ
ノート	消しゴム	絵はがき	
(n) Heft(e)	(m) Radiergummi(s)	(f) Postkarte(n)	
ヘフトゥ(テ)	ラディアグミ(ス)	ポストゥカァテ(ン)	
ハサミ	セロテープ	のり	
(f) Schere(n)	(m) Tesafilm	(m) Kleber	
シェーレ(ン)	テサフィルム	クレーバァ	

複数形 ※ Zahnpasten(ツァーンパステン) ※※ Umschläge(ウムシュレーゲ)
※※※ 商品名である「Tempo(テンポ)」でもOK

日用品・雑貨

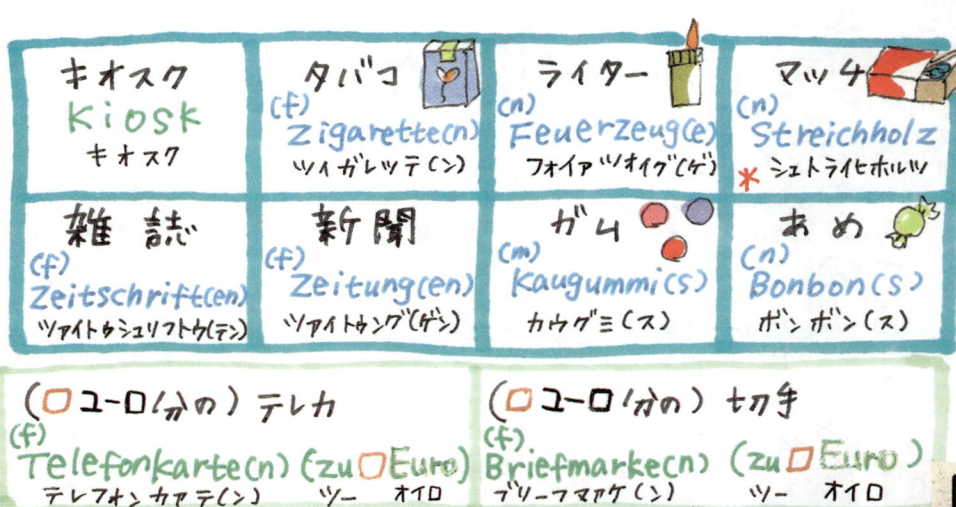

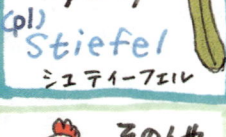

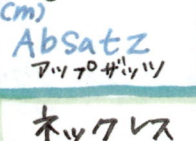

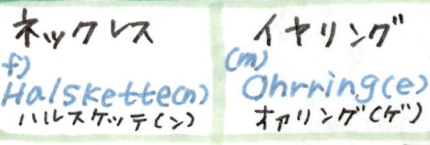

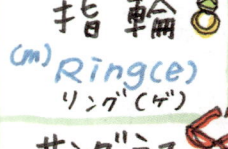

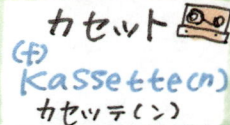

キオスク Kiosk キオスク	タバコ (f) Zigarette(n) ツィガレッテ(ン)	ライター (n) Feuerzeug(e) フォイアツオイグ(ゲ)	マッチ (n) Streichholz * シュトライヒホルツ
雑誌 (f) Zeitschrift(en) ツァイトシュリフトゥ(テン)	新聞 (f) Zeitung(en) ツァイトゥング(ゲン)	ガム (m) Kaugummi(s) カウグミ(ス)	あめ (n) Bonbon(s) ボンボン(ス)
(□ユーロ/分の) テレカ (f) Telefonkarte(n) (zu □ Euro) テレフォンカァテ(ン)　ツー　オイロ		(□ユーロ/分の) 切手 (f) Briefmarke(n) (zu □ Euro) ブリーフマァケ(ン)　ツー　オイロ	
靴屋 Schuhgeschäft シューゲシュフトゥ	靴 (pl) Schuhe シューエ	Mもなし靴 (pl) Slipper スリッパァ	
ブーツ (pl) Stiefel シュティーフェル	サンダル (pl) Sandalen ザンダーレン	ヒール ** (m) Absatz アップザッツ	高い hoch ホッホ 低い niedrig ニードゥリック

その他 雑貨

指輪 (m) Ring(e) リング(ゲ)	ネックレス (f) Halskette(n) ハルスケッテ(ン)	イヤリング (m) Ohrring(e) オァリング(ゲ)
ピアス (m) Ohrstecker オアシュテッカァ	サングラス (f) Sonnenbrille(n) ゾンネンブリレ(ン)	CD (f) CD(s) ツェーデー(ス)	カセット (f) Kassette(n) カセッテ(ン)

ドイツワイン *** (m) Deutscher Wein ドイチャー ヴァイン	かっこう時計 (f) Kuckucksuhr(en) クックックスウァ(レン)	くるみ割り人形 (m) Nussknacker ヌスクナッカァ
ケルンのコロン Kölnisch Wasser コエルニッシュ ヴァッサア	テディベア Steiff Bär(en) シュタイフ ベア(バーレン)	陶磁器 (n) Porzellan(e) ポアツェラン(ネ)

お土産!!

複数形 * Streichhölzer (シュトゥライヒホェルツァ)　** Absätze (アップゼッツェ)　*** Deutsche Weine (ドイチェ ヴァイネ)。ただし種類を表す時のみ複数形。ワインを一本は「eine Flasche Wein (アイネ フラッシェ ヴァイン)」。

日用品・雑貨／数字買物／時間／食事／文化／人家／トラブル／その他

時間と時計 Uhrzeit
ウァツァイトゥ

ベッドへ ins Bett インス ベットゥ

11 エルフ

12 ツヴォルフ

1 アインス

～に行く Ich gehe ～ イッヒ ゲーエ

10 ツェーン

朝のおやつ休み Frühstückspause フリューシュテュックス パウゼ

昼休み Mittagspause ミッタークスパウゼ ＊

昼食 Mittagessen ミッタークスエッセン

2 ツヴァイ

おやつ休み Kaffeepause カフェーパウゼ

3 ドゥライ

9 ノイン

飲みに etwas trinken エトゥヴァス トゥリンケン

仕事へ Zur Arbeit ツァ アーバイトゥ
学校へ in die Schule イン ディ シューレ

朝食 Frühstück フリューシュテュック

終業 Feierabend ファイアーアーベントゥ

8 アハトゥ

4 フィア

7 ズィーベン

6 ゼックス

5 フュンフ

家へ nach Hause ナッハ ハウゼ

夕食 Abendessen アーベントゥエッセン

朝 **Morgen** モアゲン	午前 **Vormittag** フォアミッターク	正午 **Mittag** ミッターク
午後 **Nachmittag** ナッハミッターク	夜 **Abend** アーベントゥ	真夜中 **Mitternacht** ミッテァナハトゥ

夜中 Nacht ナハトゥ

今夜は徹夜で遊ぼー！(飲もー！)
Wir machen heute durch!
ヴィア マッヘン ホイテ ドゥゥヒ

42 ＊お昼休みのあいさつとして、同僚間では「Mahlzeit（マールツァイトゥ）」が使われる。

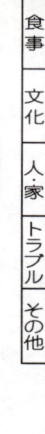

時間と時計

何時？	何時？	□時△分です。
Wieviel Uhr?	Wie spät?	Es ist □ Uhr △.
ヴィフィール ウァ	ヴィー シュペートゥ	エス イストゥ ウァ

□時△分	□時△分過ぎ	□時15分
□ Uhr △	△ nach □	viertel nach □
ウァ	ナッハ	フィアテル ナッハ

□時30分前	□時15分前	□時△分前
halb □	viertel vor □	△ vor □
ハルプ	フィアテル フォア	フォア

〜に	〜頃	〜まで
um 〜	gegen 〜	bis 〜
ウム	ゲーゲン	ビス

いつ始まりますか？
Wann fängt es an?
ヴァン フェングトゥ エス アン

何時まで開いていますか？
Bis wieviel Uhr ist es auf?
ビス ヴィフィール ウァ イストゥ エス アウフ

7時半（8時30分前）に起こして下さい。
Bitte, wecken Sie mich um halb acht auf?
ビッテ ヴェッケン ズィー ミッヒ ウム ハルプ アハトゥ アウフ

どのくらいかかりますか？
Wie lange dauert es?
ヴィー ランゲ ダウエァトゥ エス

□時間
Stunde(n)
シュトゥンデ(ン)

遅れてごめんなさい。
Entschuldigen Sie die Verspätung
エントゥシュルディゲン ズィー ディ フェアシュペートゥング

□分
Minute(n)
ミヌーテ(ン)

□（時間に）来た。
Ich bin □ gekommen.
イッヒ ビン ゲコムメン

早い（すぎる）	間に合う	時間ピッタリ	遅い（すぎる）
(zu) früh	rechtzeitig	pünktlich	(zu) spät
(ツー) フリューエー	レヒトゥツァイティック	プュンクトゥリッヒ	(ツー) シュペートゥ

時間 | 食事 | 文化 | 人家 | トラブル | その他

月日 Datum
ダートゥム

いつ？ Wann? ヴァン

日付：2002年6月12日(月)
Mo., 12.06.2002
Montag, der zwölfte Juni
zweitausendzwei
モンターク デァ ツヴェルフテ ユニ ツヴァイタウゼントツヴァイ

ひにち

1日	der erste / デァ エアステ
2日	der zweite / デァ ツヴァイテ
3日	der dritte / デァ ドゥリッテ
21日	der einundzwanzigste / アインウントツヴァンツィヒステ
～19	der □te / デァ □テ
20～	der □ste / デァ □ステ

□に数字記入

誕生日はいつですか？
Wann ist Ihr Geburtstag?
ヴァン イストゥ イア ゲブゥツターク？

いつ到着しましたか？
Wann sind Sie angekommen?
ヴァン ズィントゥ ズィー アンゲコメン？

いつ帰りますか？ ＊
Wann fliegen Sie zurück?
ヴァン フリーゲン ズィー ツルュック？

(日付)～に
am (日付)
アム

～前に **vor～** フォア
□日 □Tage(n) ターゲ(ン)
□月 □Monate(n) モナーテ(ン)

～後に **in～** イン
□週 □Woche(n) ヴォッヘ(ン)
□年 □Jahre(n) ヤァーレ(ン)

どのくらい？
Wie lange?
ヴィー ランゲ？

～以来 **seit～** ザイトゥ

(これから)～間 **für～** フュア

□に2以上の数字を入れる。なお、für以外タクトには最後にnがつく。

どのくらい前からここにいるのですか？
Wie lange sind Sie schon hier?
ヴィー ランゲ ズィントゥ ズィー ショーン ヒーァ？

どのくらいここに滞在しますか？
Wie lange bleiben Sie hier?
ヴィー ランゲ ブライベン ズィー ヒーァ？

～まで **bis** ビス

＊ 乗り物で帰るときは「fliegen」の代わりに、「fahren(ファーレン)」を、また歩いて帰るときは「gehen(ゲーエン)」を使う。

前の〜に	この〜に	次の〜に
letzten レツテン	**diesen** ディーゼン	**nächsten** ネクステン

月	火	水	木
Montag モンターク	**Dienstag** ディーンスターク	**Mittwoch** ミットゥヴォッホ	**Donnerstag** ドンネァスターク
金	土	日	祝日
Freitag フライターク	**Samstag** ザムスターク	**Sonntag** ゾンターク	**Feiertag** ファイアーターク

先週末に	先週に	先月に
letztes Wochenende レツテス ヴォッヘンエンデ	**letzte Woche** レツテ ヴォッヘ	**letzten Monat** レツテン モナートゥ
今週末に	今週に	今月に
dieses Wochenende ディーゼス ヴォッヘンエンデ	**diese Woche** ディーゼ ヴォッヘ	**diesen Monat** ディーゼン モナートゥ
来週末に	来週に	来月に
nächstes Wochenende ネクステス ヴォッヘンエンデ	**nächste Woche** ネクステ ヴォッヘ	**nächsten Monat** ネクステン モナートゥ

月日

おととい	朝に	昨年に
Vorgestern フォアゲステァン	**morgens** モアゲンス	**letztes Jahr** レツテス ヤァー
きのう	午前に	今年に
gestern ゲステァン	**vormittags** フォアミッタークス	**dieses Jahr** ディーゼス ヤァー
今日	午後に	来年に
heute ホイテ	**nachmittags** ナッハミッタークス	**nächstes Jahr** ネクステス ヤァー
あした	夜に	
morgen モアゲン	**abends** アーベンツ	左と右を組みあわせることもできる。※その際、末尾のsはとる。
あさって	夜中に	(例) 明日の夜に
übermorgen ユーバァ モアゲン	**nachts** ナハツ	**morgen Abend** モアゲン アーベントゥ

時間｜食事｜文化｜人家｜トラブル｜その他

一年と天気 Kalender/Wetter
カレンダァ/ヴェッタァ

1月6日 三王来朝
Heilige Dreikönige
ハイリゲ ドゥライコェーニゲ *1

新年 Neujahr
ノイヤァ
よい一年を
Gutes Neues!
グーテス ノイエス

おおみそか Silvester
ズィルヴェスタァ
無事年越しを！
Guten Rutsch!
グーテン ルッチュ

待降節 Advent
アドヴェントゥ

12月24日 クリスマスイヴ
Heiliger Abend
ハイリガァ アーベントゥ *3

12月25、26日 クリスマス
Weihnachten
ヴァイナハテン

よい クリスマスを！
Frohe Weihnachten!
フローエ ヴァイナハテン

カーニバル Karneval
カァネヴァル
Alaaf! アラーフ
Köln! コェルン

Fastnacht *2
ファストゥナハトゥ
Narri! ナリー
Narro! ナロ

3月 März メァツ
2月 Februar フェブルアァ
1月 Januar ヤヌアァ
冬 Winter ヴィンタァ
1年 ein Jahr アイン ヤァ
秋 Herbst ヘァプストゥ
12月 Dezember デツェムバァ
11月 November ノヴェムバァ
10月 Oktober オクトーバァ

11月9日 壁の開放の日
Maueröffnung
マウアオェフヌング

9月下旬～10月上旬 オクトーバーフェスト
Oktoberfest
オクトーバァフェストゥ *4

10月3日 ドイツ統一
Tag der Deutschen Einheit
ターク デァ ドイチェン アインハイトゥ

*1 この日にクリスマスツリーをしまう。 *2 他に地域によっては「Fasching（ファッシング）」ともいう。 *3 この日にクリスマスツリー（Weihnachtsbaum：ヴァイナハツバウム）を飾る。午後のみの半日休業。 *4 有名な1リットルビールジョッキは「Maß（マース）」。

46

一年と天気

イースター Ostern オースタァン
「よい復活祭を!」Frohe Ostern フローエオースタァン

5月1日 メーデー Tag der Arbeit タァク デア アァバイトゥ

昇天祭 Christhimmelfahrt クリストゥヒムメルファァートゥ

父の日 * Vatertag ファータァターク

聖霊降臨祭 Pfingsten プフィングステン

5月第2日曜日 母の日 Muttertag ムッタァターク

4月 April アプリルレ
5月 Mai マイ
6月 Juni ユニ
7月 Juli ユリ
8月 August アウグストゥ
9月 September ゼプテムバァ

春 Frühling フリューリング
季節 Jahreszeit ヤァレスツァイトゥ
夏 Sommer ゾムマァ

エイプリルフール Aprilscherz アプリルシェアツ

7月中旬 Love Parade ラヴ パレイドゥ

夏休み Sommerferien ゾムマァフェーリエン
夏期休暇 Sommerurlaub ゾムマァウァラウプ

新学期 Schulanfang シューレアンファング
小学校入学 ** Einschulung アインシュールング

(気温が) □ だ。 Es ist □. エス イストゥ
(自分にとって) □ だ。 Mir ist □. ミァ イストゥ

天気 Wetter ヴェッタァ
晴れ heiter ハイタァ
くもり bewölkt ベヴォルクトゥ
雨 Regen レーゲン
雪 Schnee シェネー
かみなり Donner ドンナァ
霧 Nebel ネーベル

暑い heiß ハイス
あたたかい warm ヴァアム
涼しい frisch フリッシュ
寒い kalt カルトゥ
すごく寒い arschkalt アァシュカルトゥ

時間 | 食事 | 文化 | 人家 | トラブル | その他

*日本と違い、父の日は昇天祭と同じ日。 **幼稚園で作った筒(Schultüte シュールテューテ)に親がお菓子をつめ、それを持って入学の日学校へ行く。

47

食事・レストラン Im Restaurant
イム レストラ〜ン

朝食	昼食	夕食	軽食
Frühstück	Mittagsessen	Abendessen	Kleinigkeit
フルーシュトゥック	ミッターグスエッセン	アーベントゥエッセン	クライニッヒカイトゥ

移動 / あいさつ / 地図 / 数字 / 買物 / 時間 / 食事

Im Restaurant

おなかすいたぁ
Ich habe Hunger
イッヒ ハーベ フンガア

おなかがすいて死にそう…
Ich verhungere…
イッヒ フェアフンゲレ

どこで食べる？
Wo wollen wir essen?
ヴォ ヴォレン ヴィア エッセン

学食(で)
(in der) Mensa
(インデア) メンザ

レストラン(で)
(im) Restaurant
レストラ〜ン

大衆食堂(で)
(in der) Wirtschaft
(インデア) ヴィアトゥシャフトゥ

軽食堂(で)
(im) Imbis
(イム) イムビス

カフェ(で)
(im) Café
(イム) カフェ

今晩□時に△人で予約をしたいのですが。 数→P.3
Ich möchte einen Tisch für heute abend um □ Uhr für △ Personen reservieren.
イッヒ モェヒテ アイネン ティッシュ フェア ホイテ アーベントゥ ウム □ ウァ フェア △ ペァゾーネン レザヴィーレン

こんばんは。〇時に予約してあるのですが。
Guten Abend. Ich habe einen Tisch um 〇 Uhr reserviert.
グーテン アーベントゥ イッヒ ハーベ アイネン ティッシュ ウム 〇 ウァ レザヴィーアトゥ

何がおすすめですか？(ふたりのとき)
Was können Sie uns (mir) empfehlen?
ヴァス ケェンネン ズィー ウンス (ミア) エムプフェーレン

ここの名物は何ですか？
Was ist die Spezialität von hier?
ヴァス イストゥ ディ シュペツィアリテートゥ フォン ヒーア

もう少し考えます。(注文を取りに来たけどまだ決まってないとき)
Ich überlege noch.
イッヒ ユーバァレゲ ノッホ

> お店に入ったらまず店員さんにあいさつ！よっぽど高級なレストランでない限り、あいているすきなところに座ってOK!!

(食事前のあいさつ) ＊
Guten Appetit.
グーテン アペティートゥ

ありがとう。あなたもね。
Danke. Ebenfalls.
ダンケ エーベンファルス

48　＊店員が食事を出し終えたらお客に向かってもこう言うので、言われたら「Danke」とひとことお礼を言おう！

食事・レストラン

すいませーん。□を（もう）△個ください。
Entschuldigung, (noch) △ □ , bitte.
エントゥシュルディグング （ノッホ） ビッテ

ひとつのとき → P.32
- (m) einen アイネン
- (f) eine アイネ
- (n) ein アイン

メニュー	(f) Speisekarte(n)	シュパイゼカァテ(ン)
灰皿	(m) Aschenbecher	アッシェンベッヒャア
ナプキン	(f) Serviette(n)	セァヴィエッテ(ン)
スプーン	(m) Löffel	ロエッフェル
フォーク	(f) Gabel(n)	ガーベル(ン)
ナイフ	(n) Messer	メッサァ
おはし	(n) Stäbchen	シュテープヒェン
お皿	(m) Teller	テラァ
コップ	(s) Glass (Gläser)	グラス（グレーザア）
塩	Salz	ザルツ
こしょう	Pfeffer	プフェッファア

おいしかった？	**Hat's geschmeckt?** ハッツ ゲシュメックトゥ？		
おいしい	lecker レッカー	すっぱい sauer ザウアァ	甘い süß ズュース
まずい	ungenießbar ウンゲニースバァ *	しょっぱい salzig ザルツィッヒ	にがい bitter ビタァ

お会計お願いします。
Zahlen, bitte. ツァーレン ビッテ

※お会計は担当のウェイターが各テーブルでする。

一緒に	別々に
Zusammen, bitte. ツザンメン ビッテ	**Getrennt, bitte.** ゲトゥレントゥ ビッテ

チップについて
合計金額が小さいときは、セント分を切り上げた額を、また大きい額のときは数ユーロ上乗せして払う。

（例）合計金額が Euro 27.30 のとき

（28ユーロ払って）おつりはいらないよ	（大きいお金を出して）28ユーロで
Stimmt so. シュティムトゥ ソー	**28, bitte.** アハトゥウントゥツヴァンツィッヒ, ビッテ

* 店員がお皿を下げるとき、たいていこう聞いてくる。だいたい「Ja, gut.（ヤ、グートゥ）」と無難に答えている。

主な料理 Deutsche Küche
ドイチェ キューヒェ

スープ Suppen ズッペン	シチュー Eintöpfe アイントップフェ	前菜 Vorspeisen フォアシュパイゼン	サラダ Salate ザラーテ
牛肉料理 Rindergerichte リンダゲリヒテ	豚肉料理 Schweinegerichte シュヴァイネゲリヒテ	鳥肉料理 Geflügelgerichte ゲフリューゲルゲリヒテ	
魚料理 Fischgerichte フィッシュゲリヒテ	野菜料理 Vegetarische Gerichte ヴェゲターリッシェ ゲリヒテ	デザート Nachtisch ナッハティッシュ	

付け合わせ Beilagen バイラーゲン	炒めた薄切りじゃがいも Bratkartoffeln ブラートカァトッフェルン	マッシュポテト Kartoffelbrei カァトッフェルブライ	フライドポテト Pommes ポムメス
ポテトフライ Kroketten クロケッテン	ヌードル Nudeln ヌーデルン	ドイツのパスタ Spätzle シュペッツレ *	ドイツのだんご Knödel クノェーデル

炒めた gebraten ゲブラーテン	焼いた gebacken ゲバッケン	グリルした gegrillt ゲグリルトゥ	衣をつけて焼いた paniert パニーアトゥ **
(チーズなどをかけてオーブンで)焼いた überbacken ユーバァバッケン	揚げた frittiert フリティーアトゥ	煮た gekocht ゲコホトゥ	煮込んだ geschmort ゲシュモーアトゥ
蒸した gedämpft ゲデムプフトゥ	蒸し煮した gedünstet ゲデュンステットゥ	詰めた gefüllt ゲフェールトゥ	

□添え mit ミットゥ	□つけ in イン	□のせ auf アウフ	□風 nach Art ナッハ アァトゥ

* もともとSchwaben(シュヴァーベン)地方の名物。 ** 元の意味は「衣をつけた」。ドイツのメニューはたいてい肉や魚の名前、調理法、付け合わせが書かれているので、このページと独和単語集を駆使すると、だいたいの想像はつくと思う。

50

肉 Fleisch フライシュ / 魚 Fisch フィッシュ

牛肉 *1 (n) Rind リンドゥ	仔牛 *2 (n) Kalb カルブ	ヒラメ (f) Seezunge ゼーツンゲ	にしん (m) Hering ヘーリング
豚 *3 (n) Schwein シュヴァイン	羊 *4 (n) Lamm ラム	パーチ *8 (m) Barsch バーシュ	たら (m) Dorsch ドァシュ
七面鳥 *5 (f) Pute プーテ	若どり (n) Hähnchen ヘーンヒェン	めんどり *6 (n) Huhn フーン	アヒル *7 (f) Ente エンテ

主な料理

牛肉とベーコンのピクルス巻き
Rinderrouladen
リンダアローラーデン

細切り仔牛肉のいため
Kalbsgeschnetzeltes
カルブスゲシュネッツェルテス

酢漬け牛肉のロースト
Sauerbraten
ザウアァブラーテン

豚肉のロースト
Schweinemedaillons
シュヴァイネメダイヨーン

カッスラー風豚肉の塩ゆで
Kassler Rippchen
カッスラー リップヒェン

野鹿の赤ワインソース煮
Rehragout
レーラゲー

とり肉のソース煮
Hühnerfrikassee
ヒューナァフリカッセ

かれいのソテー
Gebratene Scholle
ゲブラーテネ ショレ

ゆで白アスパラのハム添え
Spargel mit Schinken
シュパアゲル ミットゥ シンケン

食事 / 文化 / 人・家 / トラブル / その他

*それぞれの複数形は以下の通り。 1、Rinder(リンダァ) 2、Kälber(ケルバァ) 3、Schweine(シュヴァイネ) 4、Lämmer(レムマァ) 5、Puten(プーテン) 6、Hühner(ヒューナァ) 7、Enten(エンテン) 辞書によると「ヨーロッパ産食用淡水魚」とのこと。

カフェ・軽食　Im Café/Kleinigkeiten
イム カフェ/クライニッヒカイテン

カフェへ行こう！	いいカフェはどこ？
Gehen wir ins Café!	Wo gibt es ein gutes Café?
ゲーエン ヴィア インス カフェ	ヴォ ギプトゥエス アイングーテス カフェ

ノンアルコール飲料 / Alkoholfreie Getränke
アルコホールフライエ ゲトゥレンケ

ミネラルウォーター	ガス入り ★★★★	ガスなし ○○○○
Mineralwasser	mit Kohlensäure	ohne Kohlensäure
ミネラル ヴァッサァ	ミットゥ コーレンゾイレ *1	オーネ コーレンゾイレ

オレンジジュース	アップルサイダー	さくらんぼ&バナナジュース
Orangensaft	Apfelsaftschorle	Kirschbanane
オランジェンザフトゥ *2	アプフェルザフトゥショアレ	キァシュバナーネ *3

しぼりたて	アイスティ	コーラ	コーラ&ファンタ
frisch gepreßt	Eistee	Cola	Spezi
フリッシュ ゲプレストゥ	アイステー	コーラ *4	シュペーツィ

温かい飲みもの / Warme Getränke
ヴァァメ ゲトゥレンケ

コーヒー	コフェインなし	ミルクコーヒー	エスプレッソ
Kaffee	koffeinfrei	Milchkaffee	Espresso
カフェ	コフェインフライ	ミルヒカフェー	エスプレッソ

カプチーノ	紅茶	カモミールティ	ミントティ
Cappuccino	Schwarztee	Kamillentee	Pfefferminztee
カプチーノ	シュヴァァツテー	カミレンテー	プフェッファミンツテー

フルーツティ	ラム入り紅茶	ホットチョコレート（ミルク）
Früchtetee	Krog	heiße Schokolade (Milch)
フリュヒテテー	クロッグ	ハイセ ショコラーデ（ミルヒ）

☐ をカップで	☐ をポットで
eine Tasse ☐ ,	eine Kanne ☐ ,
アイネ タッセ	アイネ カンネ

ミルク	砂糖	レモン
Milch	Zucker	Zitrone
ミルヒ	ツッカァ	ツィトゥローネ

(52) *1 炭酸水は「Sprudel(シュプルーデル)」。 *2 略して「O-Saft(オーザフトゥ)」。 *3 略して「Kiba(キーバ)」でOK! *4 80年代に発売されたドイツのコーラ「Africola(アフリコーラ)」がクラブなどのシーンで復活しつつある意味重要。

左側縦書き: 移動　あいさつ　地図　数字　買物　時間　食事

Im Café/Kleinigkeiten

カフェ・軽食

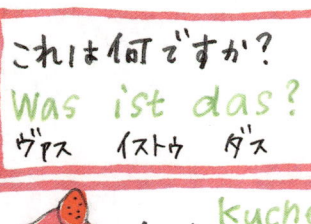

これは何ですか？	Was ist das?	ヴァス イストゥ ダス
□を1個（○個）ください。	Ein(○) Stück □, bitte.	アイン シュテュック ビッテ

ケーキ	Kuchen	クーヘン
 生クリームつき（なし）	mit (ohne) Sahne	ミットゥ（オーネ）ザーネ

黒い森風チェリーケーキ	Schwarzwälder	シュヴァァツヴェルダァ
マーブルケーキ	Marmorkuchen	マァモァクーヘン
リンツ風ジャム入りトルテ	Linzertorte	リンツァトァテ
りんごのパイ包み	Apfelstrudel *	アァプフェルシュトゥルーデル
生クリームがたっぷりはさまったケーキ	Bienenstich	ビーネンシュティッヒ
プラムケーキ	Zwetschgenkuchen	ツヴェチュゲンクーヘン
だいおうケーキ	Rhabarberkuchen	ラバーバァクーヘン
みつ網編みしたパン風ケーキ	Hefezopf	ヘーフェツォプフ

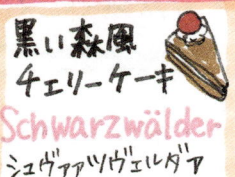

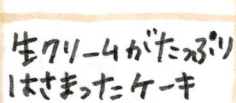

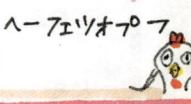

菓子パン	Gebäck	ゲベック
ジャム入り揚げパン	Berliner	ベァリーナァ
渦巻きパン	Schneckennudel **	シュネッケンヌーデル
デニッシュ	Plunder	プレンダァ
チョコ入りクロワッサン	Schokocroissant	ショコクロワッツーン

 軽食	Kleinigkeiten	クライニッヒカイテン
□をはさんだ小さなパン	belegtes Brötchen mit □	ベレーグテス ブロェートゥヒェン ミットゥ
ドイツ版ハンバーガー	Frikadelle ***	フリカデレ
カレーソース付きソーセージ	Currywurst	カリーヴァストゥ
サラミ	Salami	ザラーミ
ハム	Schinken	シンケン
チーズ	Käse	ケーゼ
サーモン	Lachs	ラックス

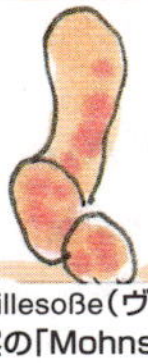

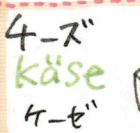

食事／文化／人家／トラブル／その他

* 温かいバニラソース「Vanillesoße（ヴァニレゾーセ）」がかかっている。
** レーズンが入った「Rosinenschnecke（ロズィーネンシュネッケ）」、けしの実の「Mohnschnecke（モーンシュネッケ）」、くるみ入りの「Nußschnecke（ヌスシュネッケ）」などがある。
*** 小さなパン「Brötchen（ブロェートゥヒェン）」にハンバーグがはさんである。

居酒屋 In der Kneipe
イン デァ クナイペ

いい □ は どこ？
Wo gibt es eine gute □ ?
ヴォ ギブトゥ エス アイネ グーテ

飲み屋	個人ビール醸造所	バー	ワイン酒場
Kneipe	Privatbrauerei	Bar	Weinstube
クナイペ	プリヴァートゥブラウエライ	バァ	ヴァインシュトゥーベ

□ を飲みたい。
Ich möchte □ trinken.
イッヒ モヒテ トゥリンケン

飲みに行かない？
Gehen wir etwas trinken?
ゲーエン ヴィア エトゥヴァス トゥリンケン

ビール Biere

いわゆるビール	ラガーの代表	ベルリンのシロップ入りビール（低アルコール分）
Export	Pils	Berliner Weisse
エクスポァトゥ	ピルス	ベァリーナ ヴァイセ

淡黄色酵母ビール	黒酵母入りビール	ろ過済みのヴァイツェンビール
helles Hefeweizen	dunkles Hefeweizen	Kristallweizen
ヘレス ヘーフェヴァイツェン	ドゥンクレス ヘーフェヴァイツェン	クリスタルヴァイツェン

ケルンのビール	デュッセルドルフのビール	期間限定のビール（高アルコール分）
Kölsch	Alt	Bock
コェルシュ	アルトゥ	ボック

燻製ビール（バンベルクの特産）	ノンアルコールビール	生ビール（たいてい地ビール）
Rauchbier	alkoholfreies Bier	Bier von Faß
ラオホビア	アルコホールフライエス ビア	ビア フォン ファス

ビール&甘い炭酸水	ビール&コーラ	ヴァイツェン＋バナナジュース
Radler	Diesel	Bananenweizen
ラードゥラァ	ディーゼレ	バナーネン ヴァイツェン

移動 あいさつ 地図 数字 買物 時間 食事

In der Kneipe

54

居酒屋

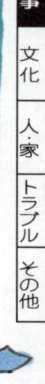

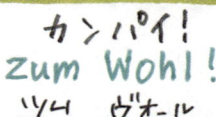

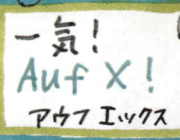

ワイン Wein

赤ワイン Rotwein ロートゥヴァイン	白ワイン Weißwein ヴァイスヴァイン	ワインの炭酸割り Weinschorle ヴァインショァレ （注文の仕方）
辛口 Trocken トゥロッケン	中辛口 Halbtrocken ハルプトゥロッケン	色+甘 süß ズュース 酸 sauer ザウァ

☐ をグラス一杯ください。
Ein Glas ☐, bitte.
アイン グラス　ビッテ

☐ をボトル一本ください。
Eine Flasche ☐, bitte.
アイネ フラッシェ　ビッテ

その他

シャンペン Sekt ゼクトゥ	カクテル Cocktail コクテイル	ウイスキー Whisky ウィスキー

もう一杯ください。
Noch ein Glas, bitte.
ノッホ アイン グラス ビッテ

もういりません。
Nein, danke.
ナイン ダンケ

カンパイ！ Prost! プロストゥ	カンパイ！ zum Wohl! ツム ヴォール	一気！ Auf X! アウフ エックス

友情にカンパイ！
Auf die Freundschaft!
アウフ ディ フロインドゥシャフトゥ

君の誕生日にカンパイ！
Auf deinen Geburtstag!
アウフ ダイネン ゲブゥツターク

（みんなの）次の一杯は私のおごり！
Die Runde geht auf mich!
ディ ルンデ ゲートゥ アウフ ミッヒ

それ私につけといて。
Das geht auf mich!
ダス ゲートゥ アウフ ミッヒ

私は☐だ。
Ich bin ☐.
イッヒ ビン

二日酔いだ…。
Ich habe einen Kater.
イッヒ ハーベ アイネン カータァ

シラフ nüchtern ヌェヒテァン	ほろ酔い beschwipst ベシュヴィップストゥ	ベロベロ dicht ディヒトゥ

食事 | 文化 | 人家 | トラブル | その他

映画・音楽 Musik & Filme
ムズィーク＆フィルメ

どの音楽が好きですか？
Was für Musik hören Sie gerne?
ヴァス フュア ムズィーク ホェーレン ズィー ゲァネ

☐ が好きです。
Ich höre gerne ☐
イッヒ ホェーレ ゲァネ

ポップ	ロック	ヒップホップ	テクノ
POP	Rock	Hip Hop	Techno
ポップ	ロック	ヒップ ホップ	テクノ

ドイツの歌謡曲	ドイツ版演歌	ジャズ	クラッシック
Schlager	Volksmusik	Jazz	klassik
シュラーガァ *2	フォルクスムズィーク	ジャズ	クラスィーク *1

誰のコンサートに行ったことがありますか？
Bei welchen Konzerten waren Sie schon?
バイ ヴェルヒェン コンツェアテン ヴァレン ズィー ショーン

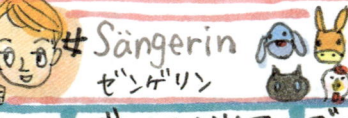

☐ のおすすめ曲は何ですか？
Was ist eins der besten Stücke von ☐ **?**
ヴァス イストゥ アインス デア ベステン シュテュッケ フォン

歌手 男	♀		
Sänger	Sängerin		Gruppe
ゼンガァ	ゼンゲリン		グルッペ

エヒト	プァ	ディ・エルツテ	ディ・トーテン・ホーゼン
Echt	Pur	Die Ärzte	Die toten Hosen
エヒトゥ *3	プァ	ディ エァツテ	ディ トーテン ホーゼン

ヘルベルト・グレーネマイヤー		マリウス・ミュラー＝ヴェスターンハーゲン	
Herbert Grönemeyer		Marius Müller-Westernhagen	
ヘァベァトゥ グルェーネマイァァ		マリウス ミュラー ヴェステァンハーゲン	

サブリナ・セットルー	クサヴィア・ナイドゥ	ヴォルフガング・ペトリ *4
Sabrina Setlur	Xavier Naidoo	Wolfgang Petry
サブリナ セットゥルァ	クサヴィア ナイドゥ	ヴォルフガング ペトゥリ

ディ・ファンタスティッシェン・フィア *5	ネナ	ハイノ
Die fantastischen Vier	Nena	Heino
ディ ファンタスティッシェン フィア	ネナ	ハイノ

★上記以外のカテゴリーは日本と同様に英語。★2 ディスコでこの曲の特集の日は体験の価値あり。みんなベロベロで、上機嫌でとにかく大騒ぎ。★3 ドイツのボーイバンド。★4 彼の曲はパーティなどに欠かせない。★5 ドイツヒップホップの基礎を築いたグループ。★6 この他、ジャズとヒップホップをミックスしたグループ「Jazzkantine(ジャズカンティーネ)」は私個人のオススメ！

どんな映画が好きですか？
Was für Filme schauen Sie gerne?
ヴァス フェア フィルメ シャウエン ズィー ゲァネ

ラブロマンス	コメディ	アクション	ファンタジー
Liebesgeschichte	Komödie	Action	Fantasie
リーベスゲシヒテ	コメディ	アクション	ファンタズィー

SF	アニメ	ホラー
Science Fiction	Zeichentrick	Horror
サイエンス フィクション	ツァイヒェントゥリック	ホロア

☐を観ましたか？
Haben Sie sich ☐ angeschaut?
ハーベン ズィー ズィッヒ アンゲシャウトゥ

ラン・ローラ・ラン		ノッキン・オン・ヘブンズ・ドア	
Lola rennt		Knockin' on Heaven's Door.	
ローラ レントゥ		ノッキン オン ヘヴンズ ドア	

Uボート	ビヨンド・サイレンス	快楽晩餐会
Das Boot	Jenseits der Stille	Rossini
ダス ボートゥ	イェンザイツ デァ シュテイレ	ロッシーニ

(人名) って ☐ だと思う。
Ich finde (人名) ☐ .
イッヒ フィンデ

いい	かっこいい	きれい
gut	cool	schön
グートゥ	クール	シェーン

俳優		女優	
Schauspieler		Schauspielerin	
シャウシュピーラァ		シャウシュピーレリン	

モーリッツ・ブライプトロイ	ティル・シュヴァイガー	ユルゲン・プロホノウ
Moritz Bleibtreu	Til Schweiger	Jürgen Prochnow
モリッツ ブライプトゥロイ	ティル シュヴァイガァ	ユゲン プロホノウ
フランカ・ポテンテ	ヴェロニカ・フェレス	マレーネ・ディートリッヒ
Franka Potente	Veronica Ferres	Marlene Dietrich
フランカ ポテンテ	ヴェロニカ フェレス	マァレーネ ディートリッヒ

映画・音楽

文化 / 人家 / トラブル / その他

スポーツ Sport
シュポオトゥ

何のスポーツをプレーしますか？
Was für eine Sportart treiben Sie?
ヴァス フェア アイネ シュポォトゥアァトゥ トゥライベン ズィー

何のスポーツを観戦するのが好きですか？
Was für eine Sportart schauen Sie gerne?
ヴァス フェア アイネ シュポォトゥアァトゥ シャウエン ズィー ゲァネ

サッカー Fußball フースバル	テニス Tennis テニス	バスケット Basketball バスケットゥバル	バレーボール Volleyball ヴォリバル
ハンドボール Handball ハンドゥバル	アイスホッケー Eishockey アイスホッケイ	スキー Skifahren シーファーレン	スキージャンプ Skisprung シーシュプルング
スノーボード Snowboard スノゥボードゥ	水泳 Schwimmen シュヴィムメン	卓球 Tischtennis ティッシュテニス	ゴルフ Golf ゴルフ
自転車競技 サイクリング Radfahren ラードゥファーレン	乗馬 Reiten ライテン	フェンシング Fechten フェヒテン	カヌー Kanu カヌー

試合 Spiel シュピール	勝利 Sieg ズィーグ	敗北 Niederlage ニーダァラーゲ	引き分け Unentschieden ウンエントゥシーデン
選手 Spieler シュピーラァ	チーム Mannschaft マンシャフトゥ	勝者 Sieger ズィーガァ	チャンピオン Meister マイスタァ
オリンピック Olympiade オリュピアーデ	オリンピック優勝者 Olympiasieger オリュピアズィーガァ	世界選手権 Weltmeisterschaft ヴェルトゥマイスタァシャフトゥ	世界チャンピオン Weltmeister ヴェルトゥマイスタァ

誰（どのチーム）が勝ったの？
Wer hat gewonnen?
ヴェア ハットゥ ゲヴォンネン？

□□は負けたよ。
□□ hat verloren...
ハットゥ フェアローレン

□を観戦したい。	チケットはどこで手に入る？
Ich möchte □ zuschauen.	Wo kriege ich Karten?
イッヒ モエヒテ ツーシャウエン	ヴォ クリーゲ イッヒ カァテン

誰/どのチームを応援しているの？	私は□のファンだよ。
Für wen sind Sie?	Ich bin Fan von □.
フェア ヴェン ズィントゥ ズィー	イッヒ ビン フェーン フォン

車	オートバイ	モータースポーツ	F1
Auto	Motorrad	Motorsport	Formel 1
アウト	モトァラードゥ	モトァシュポォトゥ	フォアメル アインス
レース	コース	レーサー	周
Rennen	Rennstrecke	Rennfahrer	Runde
レンネン	レンシュトゥレッケ	レンファーラァ	ルンデ
エンジン	タイヤ	事故	エンジン故障
Motor	Reifen	Unfall	Motorschaden
モトァ	ライフェン	ウンファル	モトァシャーデン
	ゴール	表彰式	ポール トゥ ウイン
	Ziel	Siegerehrung	Start-Ziel-Sieg
	ツィール	ズィーガエーァルング	シュタァトゥ ツィール ズィーグ

スポーツ

□が△を追い越した	□が△を周回遅れにした
□ hat △ überholt.	□ hat △ überrundet.
ハットゥ ユーバァホールトゥ	ハットゥ ユーバァルンデットゥ

□はリタイアしたよ	誰が今リードしてるの？
□ ist ausgeschieden.	Wer führt gerade?
イストゥ アウスゲシーデン	ヴェア フューァトゥ ゲラーデ

あなたのお気に入りの選手（レーサー）は誰？
Wer ist Ihr Lieblingsspieler (Lieblingsrennfahrer)?
ヴェア イストゥ イァ リーブリングスシュピーラァ（リーブリングスレンファーラァ）

シュテフィー・グラフ	ボリス・ベッカー	マーティン・シュミット	ミハエル・シューマッハ
Steffie Graf	Boris Becker	Martin Schmitt	Michael Schuhmacher
シュテフィー グラフ	ボリス ベッカァ	マァティン シュミットゥ	ミヒャエル シューマッハァ

文化 / 人家 / トラブル / その他

サッカー Fußball
フースバル

1部リーグ **1. Bundesliga** エァステ ブンデスリーガ	バイエルン **FC Bayern München** エフツェー バイエァン ミュンヒェン	シャルケ **Schalke 04** シャルケ ヌル フィア
レバークーゼン **Bayer Leverkusen** バイァ レヴァクーゼン	ドルトムント **BVB Dortmund** ベーファオベー ドァトゥムンドゥ	ベルリン **Hertha BSC Berlin** ヘァタ ベーエスツェー ベァリーン	フライブルク **SC Freiburg** エス ツェー フライブゥグ
ブレーメン **Werder Bremen** ヴェァダァ ブレーメン	ハンブルク **HSV Hamburg** ハーエス ファオ ハっブゥク	ケルン **1. FC Köln** エァステ エフツェー コェルン	ミュンヘン **1860 München** アハツェーンゼヒツィック ミュンヘン

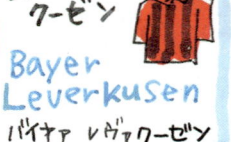

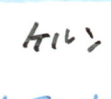

ゴーーール! **Toooor!** トォーーァ	イェナー!! **Auf geht's!** アウフ ゲーツ	いいねぇ **Schööön** ショェーン	(審判の判定に不満な時など) **Pfui!** プフイ

ワールドカップ　(略) **Weltmeisterschaft (WM)** ヴェルトゥマイスタァシャフトゥ （ヴェーエム）	ヨーロッパカップ　(略) **Europameisterschaft (EM)** オイロッパマイスタァシャフトゥ （エーエム）

代表チーム **Nationalmannschaft** ナツィオナールマンシャフトゥ	親善試合 **Freundschaftsspiel** フロインドゥシャフツシュピール	ドイツ杯 **DFB Pokal** デーエフベー ポカール
予選 **Qualifikation** クヴァリフィカツィオーン	決勝 **Finale** フィナーレ	チャンピオン **Meister** マイスタァ
チケット **Eintrittskarte** アイントゥリッツカァテ	立ち見席 **Stehplatz** シュテープラッツ	いす席 **Sitzplatz** ズィッツプラッツ	サッカー場 **Stadion** シュターディオン

□の今度のホーム試合はいつ？
Wann ist das nächste Heimspiel von □?
ヴァン　イストゥ　ダス　ネクステ　ハイムシュピール　フォン

どっちが勝つと思いますか？
Wer ist Ihr Favorit?
ヴェア　イストゥ　イア　ファヴォリートゥ

□は何位？
Auf welchem Tabellenplatz ist □?
アウフ　ヴェルヒェム　タベレンプラッツイストゥ

どのチームの試合が今日あるの？
Wer spielt heute?
ヴェア　シュピールトゥ　ホイテ

シャルケ対バイエルン
Schalke gegen Bayern
シャルケ　ゲーゲン　バイエアン

試合開始はいつ？
Wann ist Anstoß?
ヴァン　イストゥ　アンシュトース

午後3時半（ウム ハルプ フィア）
Um 15:30
ウム フュンフツェーン(ドゥライ) ウァ ドゥライスィック

今、何対何？
Wie steht's?
ヴィー　シュテーツ

2対0(でシャルケがリード)
2 zu 0 (für Schalke)
ツヴァイ ツー ヌル (フュア シャルケ)

サッカー

順位表	途中結果	結果	ロスタイム
Tabelle タベレ	**Zwischenstand** ツヴィッシェンシュタンドゥ	**Ergebnis** エァゲープニス	**Nachspielzeit** ナッハシュピールツァイトゥ

ゴールキーパー	ディフェンス	ミッドフィールド	フォワード
Torwart トァヴァァトゥ	**Abwehr** アップヴェア	**Mittelfeld** ミッテルフェルドゥ	**Angriff** アングリフ

ストライカー	監督	ホーム	アウェー
Stürmer シュトュルマア	**Trainer** トゥレイナア	**Heim** ハイム	**Auswärts** アウスヴェァツ

審判	ゴール	センタリング	ペナルティキック
Schiedsrichter シーズリヒタア	**Tor** トア	**Flanke** フランケ	**Elfmeter** エルフメータア

フリーキック	コーナーキック	オフサイド	退場
Freistoß フライシュトース	**Eckball** エックバル	**Abseits** アップザイツ	**Platzverweis** プラッツフェアヴァイス

ドイツの文化 Deutsche Kultur
ドイチェ クルトゥア

□ を 読んだことが あるよ。	□ を 知ってるよ。
Ich habe □ gelesen.	Ich kenne □ .
イッヒ ハーベ ゲレーゼン	イッヒ ケンネ

詩人	Dichter	思想家	Denker
	ディヒタァ		デンカァ

ゲーテ		ファウスト	
Johann-Wolfgang von Goethe		Faust	
ヨハン ヴォルフガング フォン ゲーテ		ファウストゥ	

作家	Schriftsteller
	シュリフトゥシュテラア

ミヒャエル・エンデ	Michael Ende	はてしない物語	Die unendliche Geschichte
ミヒャエル エンデ		ディ ウンエンドゥリッヒェ ゲシヒテ
ヘルマンヘッセ	Hermann Hesse	春の嵐	Gertrund
ヘァマン ヘッセ*		ゲァトゥルンドゥ
トーマス・マン	Thomas Mann	ベニスに死す	Der Tod in Venedig
トーマス マン		デァ トードゥ イン ヴェネーディック
ギュンター・グラス	Günter Grass	ブリキの太鼓	Die Blechtrommel
ギュンタァ グラス		ディ ブレッヒトゥロムメル

ノーベル文学賞受賞者	Literaturnobelpreisträger
	リテラトゥァノーベルプライストゥレーガァ

童話	Märchen
	メァヒェン

グリム兄弟	Gebrüder Grimm	白雪姫	Schneewittchen
	ゲブリュェダァ グリム		シュネーヴィットゥヒェン
ヘンゼルとグレーテル	Hänsel und Gretel	シンデレラ	Aschenbrödel
	ヘンゼル ウントゥ グレーテル		アッシェンブロェーデル

*後にスイス国籍を取得。

移動｜あいさつ｜地図｜数字｜買物｜時間｜食事｜文化

Deutsche Kultur

あなたの好きな作曲家は誰ですか？
Wer ist Ihr Lieblingskomponist?
ヴェア イストゥ イア リーブリングスコムポニストゥ

作曲家	**Komponist** コムポニストゥ	
ヨハン・セバスチャン・バッハ **Johann Sebastian Bach** ヨハン セバスティアン バッハ	ブランデンブルク協奏曲 **Brandenburgische Konzerte** ブランデンブゥギッシェ コンツェアテ	
ルードヴィッヒ・ファン・ベートーベン **Ludwig van Beethoven** ルードゥヴィック ファン ベートゥホーフェン	運命 **5. Symphonie** フュンフテ ズュムフォニー	エリーゼのために **Für Elise** フュア エリーゼ
ゲオルク・フリードリッヒ・ヘンデル **Georg-Friedrich Händel** ゲオゥク フリードゥリッヒ ヘンデレ		メシア **Der Messias** デア メスィアス

物理学者	**Physiker** フューズィカァ	
アルベルト・アインシュタイン * **Albert Einstein** アルベァトゥ アインシュタイン	相対性理論 **Relativitätstheorie** レラティヴィテーツテオリー	
ヴィルヘルム・コンラート・レントゲン **Wilhelm Conrad Röntgen** ヴィルヘルム コンラードゥ ロエントゥゲン	レントゲン線（X-線） **Röntgenstrahl (X-Strahl)** ロエントゥゲンシュトゥラール（イックス・シュトゥラール）	

ノーベル物理学賞受賞者	**Physiknobelpreisträger** フューズィークノーベルプライストゥレーガァ

自動車発明者	**Erfinder des Autos** エァフィンダァ デス アウトス	
ゴットリープ・ダイムラー **Gottlieb Daimler** ゴットゥリープ ダイムラァ	カール・フリードリッヒ・ベンツ **Carl Friedrich Benz** カァル フリードゥリッヒ ベンツ	

ドイツの文化

文化｜人・家｜トラブル｜その他

＊ 後にスイス国籍を取得。

人間関係 Beziehungen
ベツィーウンゲン

家族 (f) Familie ファミーリエ	両親 (pl) Eltern エルテアン	父 (m) Vater ファータァ *	母 (f) Mutter ムッタァ *
兄 (m) der ältere Bruder デァ エルテレ ブルーダァ *	弟 (m) der jüngere Bruder デァ ユンゲレ ブルーダァ **	姉 (f) die ältere Schwester ディ エルテレ シュヴェスタァ ***	妹 (f) die jüngere Schwester ディ ユンゲレ シュヴェスタァ ***
夫 (m) Mann マン	妻 (f) Frau フラウ *	おじいちゃん (m) Opa(s) オパ(ス)	おばあちゃん (f) Oma(s) オマ(ス)
息子 (m) Sohn (Söhne) ゾーン (ゾーネ)	娘 (f) Tochter (Töchter) トホタァ (テヒタァ)	おじさん (m) Onkel オンケル	おばさん (f) Tante(n) タンテ(ン)
子供 (n) Kind(er) キンドゥ(キンダァ)	赤ちゃん (n) Baby(s) ベービー(ス)	いとこ(男) (m) Cousin(s) クザン(ス)	いとこ(女) (f) Cousine(n) クズィーネ(ン)
おい (m) Neffe(n) ネッフェ(ン)	めい (f) Nichte(n) ニヒテ(ン)	孫 (n) Enkelkind(er) エンケル キンドゥ	祖父母 (pl) Großeltern グロースエルテァン

兄弟姉妹はいますか？
Haben Sie Geschwister?
ハーベン ズィー ゲシュヴィスタァ

子供はいますか？
Haben Sie Kinder?
ハーベン ズィー キンダァ

私には……
Ich habe……
イッヒ ハーベ

…が一人いる

(m) einen ☐ アイネン	(f) eine ☐ アイネ	(n) ein ☐ アイン

○が△人いる。△○
複数形は語尾に( )内がつくか、( )内もしくは単数形と同じ。

…はいない

(m) keinen ☐ カイネン	(f) keine ☐ カイネ	(n) kein ☐ カイン

※ 複数形は日独単語帳を参照。　※※ 複数形は「Brüder(ブリューダァ)」　※※※ 複数形は「Schwestern(シュヴェスタァン)」

私	君	あなた(たち)	彼	彼女(たち)/彼ら	私たち	君たち
ich	du	Sie	er	sie	wir	ihr
イッヒ	ドゥー	ズィー	エア	ズィー	ヴィア	イーア

私の彼 Mein Freund マイン フロインドゥ
私の彼女 meine Freundin マイネ フロインディン
婚約者 * Verlobte フェアローブテ

私の友達(男) ein Freund von mir アイン フロインドゥ フォン ミア
私の友達(女) eine Freundin von mir アイネ フロインディン フォン ミア

仲間 (m) kumpel クムペル
知人 * Bekannte(n) ベカンテ(ン)
元〜 Ex-〜 エックス

私の ___ は (m)(n) mein ___ マイン
(f)(pl) meine ___ マイネ

(s) ___ だ ist ___ イストゥ | ___ に住んでいる wohnt in ___ ヴォーントゥ イン | ___ に勤めている arbeitet bei ___ アァバイテットゥ バイ

(pl) sind ___ ズィンドゥ | wohnen in ___ ヴォーネン イン | arbeiten bei ___ アァバイテン バイ

私は ___ だ Ich bin ___ イッヒ ビン
あなたは ___ ですか? Sind Sie ___ ? ズィンドゥ ズィー
恋人がいない Solo ソロ

___ に惚れている in ___ verliebt イン フェアリーブトゥ
___ とつきあっている mit ___ zusammen ミットゥ ツザンメン
___ と婚約している mit ___ verlobt ミットゥ フェアローブトゥ

妊娠している schwanger シュヴァンガア
結婚している verheiratet フェアハイラーテットゥ
離婚している geschieden ゲシーデン

人間関係

人・家 / トラブル / その他

＊表記は定冠詞のとき。不定冠詞のときは語尾が変化する。

ひとの性格・感情 Persönlichkeiten/Gefühle
ペァゼーンリッヒカイテン/ゲフューレ

彼/彼女/□のことをどう思いますか？ Wie finden Sie ihn/sie/□? ヴィー フィンデン ズィー イーン/ズィー		
彼/彼女/□は…だ。 Er/Sie/□ ist… エァ/ズィー イストゥ	とても〜 sehr〜 ゼーア	〜ではない nicht〜 ニヒトゥ
かっこいい、クール cool クール	きれい schön シェーン	チャーミング süß ズュース	ダサイ häßlich ヘスリッヒ
魅力的 attraktiv アトゥラクティヴ	イカしてる geil ガイル	愛きょうのある charmant シャァマントゥ	色っぽい erotisch エローティッシェ

あなたは□ですか？ Sind Sie □? ズィントゥ ズィー		私は□だ。 Ich bin □ イッヒ ビン
うれしい froh フロー	幸せ glücklich グリュックリッヒ	満足 zufrieden ツーフリーデン
悲しい traurig トゥラウリッヒ	淋しい einsam アインザム	むかついている sauer ザウアァ
ワクワク gespannt ゲシュパントゥ	ショック schockiert ショキーァトゥ	疲れた、眠い müde ミューデ
びっくり erschreckt エァシュレックトゥ	がっかり enttäuscht エントゥイシュトゥ	うんざり、満腹 satt ザットゥ

左側縦書き: 移動 | あいさつ | 地図 | 数字 | 買物 | 時間 | 食事 | 文化 | 人・家

Persönlichkeiten/Gefühle

(66) *「megacool(メガクール:超カッコイイ)」というように、形容詞の前に「mega(メガ)」や「super(ズーパァ)」をつけると、「超〜」というかんじになる

ひとの性格・感情

親切な、いい人 nett ネットゥ	意地悪 gemein ゲマイン	まじめ fleißig フライスィッヒ	怠惰（なまけもの） faul ファウル
かしこい klug クルーク	まぬけ dumm ドゥム	ずるがしこい schlau シュラオ	にぶい、とろい blöd ブロェードゥ
おもしろい lustig ルスティッヒ	つまんない langweilig ラングヴァイリッヒ	おかしい komisch コーミッシェ	個性的 originel オリギネル
おしゃべり Schwätzer シュヴェッツァー	はずかしがり schüchtern シュヒテァン	落ち着いてる reif ライフ	子供っぽい kindisch キンディッシェ
勇敢 tapfer タプファー	臆病者 Feigling ファイグリング	楽天的 optimistisch オプティミスティッシェ	悲観的 pessimistisch ペスィミスティッシェ
控えめ zurückhaltend ツーリュックハルテンドゥ	ずうずうしい frech フレッヒ	がんこ stur シュトゥア	気むずかしい schwierig シュヴィーリッヒ
誠実、実直 ehrlich エアリッヒ	忠実 treu トゥロイ	気前いい großzügig グロースツューギッヒ	ケチ geizig ガイツィッヒ
自己中心 egoistisch エゴイスティッシェ	気取った Snob スノップ	見栄っ張り Angeber アンゲーバア	男らしくない Weichei ヴァイヒアイ

※知らなくていいけどよく耳にする言葉（使わないように！）

ムカつく女 Schlampe シュランペ	バカ女 blöde Kuh ブロェーデクー	バカヤロー Vollidiot フォルイディオートゥ	まぬけなやつ Depp デップ	サイテーヤロー Arschloch アァシュロッホ

人・家 / トラブル / その他

67

家 Haus
ハウス

これは なんですか？
Was ist das?
ヴァス イストゥ ダス

居間 Wohnzimmer ヴォーンツィマァ

ドア Tür トゥア

暖房 Heizung ハイツング

本棚 Bücherregal ビューヒャアレガール

テレビ Fernseher フェアンゼーア

リモコン Fernbedienung フェアンベディーヌング

机 Tisch ティッシュ

ソファ Sofa ゾファ

一軒屋 Haus ハウス	アパート、マンションの一室 Wohnung ヴォーヌング	寮 Wohnheim ヴォーンハイム	ルームシェア WG ヴェーゲー
子供部屋 Kinderzimmer キンダァツィマァ	階段 Treppe トゥレッペ	ドアベル Türklingel トュア クリンゲル	庭 Garten ガァテン
郵便受け Briefkasten ブリーフカステン	バルコニー Balkon バルコーン	新築 Neubau ノイバウ	お隣りさん (男) Nachbar ナッハバァ (女) Nachbarin ナッハバリン

移動 / あいさつ / 地図 / 数字 買物 / 時間 / 食事 / 文化 / 人 家

Haus

＊正式はWohngemeinscaft（ヴォーンゲマインシャフトゥ）

流し台	Spülbecken	シュピューレベッケン
ガスレンジ	Herd	ヘァドゥ
冷蔵庫	Kühlschrank	キュールシュランク
キッチン	Küche	キュヒェ
いす	Stuhl	シュトゥール
バスルーム	Badezimmer	バーデツィマァ
寝室	Schlafzimmer	シュラーフツィマァ
鏡	Spiegel	シュピーゲル
窓	Fenster	フェンスタァ
バスタブ	Badewanne	バーデヴァンネ
シャワー	Dusche	ドゥシェ
洗面台	Waschbecken	ヴァッシュベッケン
まくら	Kissen	キッセン
ベッド	Bett	ベットゥ
トイレ	WC	ヴェーツェー
ナイトテーブル	Nachttisch	ナハトゥティッシュ

家

人・家 / トラブル / その他

*マンションの入口や門でまずドアベルを鳴らしてドアを開けてもらう。こうすることにより不審者の侵入を防ぐ。

体と病気 Körper/Krankheiten
コェァパァ/クランクハイテン

気分がすぐれません Ich fühle mich nicht wohl. イッヒ フューレ ミッヒ ニヒトゥ ヴォール	カゼをひきました。 Ich habe mich erkältet. イッヒ ハーベ ミッヒ エァケルテットゥ

私は～ Mir ist ～ ミァ イストゥ	気分が悪い schlecht シュレヒトゥ	吐き気がする übel ユーベル
めまいがする schwindelig シュヴィンドゥリッヒ	暑い heiß ハイス	寒い kalt カルトゥ

私は～ Ich habe ～ イッヒ ハーベ	熱がある Fieber フィーバァ	鼻風邪をひいている Schnupfen シュヌプフェン
食欲がない Keinen Appetit カイネン アペティートゥ	下痢をしている Durchfall ドゥヒフォル	便秘をしている Verstopfung フェアシュトプフング
頭痛 Kopfschmerzen コプフシュメァツェン	腹痛 Bauchschmerzen バオホシュメァツェン	歯痛 Zahnschmerzen ツァーン シュメァツエン

腕が折れた	Mein Arm ist gebrochen. マイン アァム イストゥ ゲブロッヘン
足をネンザした	Ich habe mir den Fuß verstaucht. イッヒ ハーベ ミァ デン フース フェアシュタウホトゥ
手にヤケドした	Ich habe mir die Hand verbrannt. イッヒ ハーベ ミァ ディ ハンドゥ フェアブラントゥ

ここが～痛い。 Ich habe hier ～ Schmerzen. イッヒ ハーベ ヒーァ シュメァツェン			激しい heftige ヘフティゲ
鈍い dumpfe ドゥムプフェ	さすように Stechende シュテッヒエンデ	裂けるように reißende ライセンデ	ヒリヒリ brennende ブレネンデ

救急車を呼んでください。
Bitte rufen Sie mir einen Krankenwagen.
ビッテ　ルーフエン　ズィー　ミァ　アイネン　クランケンワーゲン

病院へ連れていってください。
Bitte bringen Sie mich ins Krankenhaus.
ビッテ　ブリンゲン　ズィー　ミッヒ　インス　クランケンハウス

頭 (m) Kopf コプフ	髪 (n) Haar(e) ハァ (ハアレ)	目 (n) Auge(n) アウゲ(ン)
鼻 (f) Nase(n) ナーゼ(ン)	口 (m) Mund ムンドゥ	首 (m) Hals ハルス
指 (m) Finger フィンガァ	手 (f) Hand (Hände) ハンドゥ (ヘンデ)	うで (m) Arm (Arme) アァム (エァメ)
ひじ (m) Ellenbogen エレンボーゲン	へそ (m) Nabel ナーベル	もも (m) Schenkel シェンケル
ひざ (n) Knie クニー	スネ (n) Schienbein(e) シーンバイン(ネ)	足全体 (n) Bein(e) バイン(ネ)
足 (m) Fuß (Füße) フース (フューゼ)	骨 (m) Knochen クノッヘン	耳 (n) Ohr(en) オァ(レン)
舌 (f) Zunge(n) ツンゲ(ン)	歯 (m) Zahn (Zähne) ツァーン (ツェーネ)	肩 (f) Schulter(n) シュルタァ(ン)
胸 (f) Brust (Brüste) ブルストゥ (ブリュステ)	乳 (m) Busen ブーゼン	背 (m) Rücken リュッケン
腰 (f) Hüfte(n) ヒュフテ(ン)	腹 (m) Bauch バオホ	尻 (m) Po ポ
皮膚 (f) Haut ハウトゥ	足首 (n) Fußgelenk(e) フースゲレンク(ケ)	性器 (n) Geschlechtsorgan(e) ゲシュレヒツオァガーン(ネ)

体と病気

トラブル その他

＊複数形は単語帳参照。

病院・内臓 Medizin/Organe
メディツィーン/オァガーネ

どうしましたか？ Was haben Sie? ヴァス ハーベン ズィー	気分が悪いです。 Mir geht's schlecht. ミア ゲーツ シュレヒトゥ
アレルギー体質です。 Ich bin allergisch. イッヒ ビン アレァギッシュ	妊娠しています。 Ich bin schwanger. イッヒ ビン シュヴァンガァ
たいしたことありませんよ。 Es ist nicht schlimm. エス イストゥ ニヒトゥ シュリム	心配しないで下さい。 Machen Sie sich keine Sorgen. マッヘン ズィー ズィッヒ カイネ ゾァゲン

病院(n) Krankenhaus クランケンハウス	医者(男)(m) Arzt アァツトゥ	医者(女) Ärztin エァツティン
薬局(f) Apotheke アポテーケ	治療(f) Behandlung ベハンドゥルング	手術(f) Operation オペラツィオーン
健康保険証(m) Krankenschein クランケンシャイン	自然療法(f) Homöopathie ホモェオパティー	処方せん(n) Rezepte レツェプテ

Medizin/Organe

のど(f) Kehle ケーレ

肺(f) Lunge(n) ルンゲ(ン)

腸(m) Darm ダァム

じん蔵(f) Niere(n) ニーレ(ン)

肝臓(f) Leber レーバァ

心臓(n) Herz ヘァツ

胃(m) Magen マーゲン

盲腸(m) Blinddarm ブリンドゥダァム

ぼうこう(f) Harnblase ハァンブラーゼ

血液型(f) Blutgruppe ブルートゥグルッペ

旅行を続けられますか？
kann ich die Reise fortsetzen?
カン イッヒ ディ ライゼ フォトゥゼッツェン

注射(f)	麻酔(f)	点滴(f)	輸血(f)
Spritze	Narkose	Infusion	Bluttransfusion
シュプリッツェ	ナァコーゼ	インフズィオーン	ブルートゥトゥランスフズィオーン

日射病	ぜんそく	糖尿病	気管支炎
Sonnenstich	Asthma	Diabetes	Bronchitis
ゾンネンシュティッヒ	アストゥマ	ディアベーテス	ブロンヒティス

高(低)血圧		肝炎	□炎
honer (niedrigen) Blutdruck		Hepatitis	□entzündung
ホーエア (ニードゥリガァ) ブルートゥドゥルック		ヘパティティス	エントゥツェンドゥング

検査	血(n)	血圧(m)
Untersuchung	Blut	Blutdruck
ウンタァズーフング	ブルートゥ	ブルートゥドゥルック

体温	脈	尿
Körpertemperatur	Puls	Urin
コエアパァテムペラトゥア	プルス	ウリン

薬	錠剤(f)	アスピリン	抗生物質(n)
Arznei	Pille	Aspirin	Antibiotikum
アアツナイ	ピレ	アスピリーン	アンティビオーティクム

せき止め液(m)	解熱剤(n)	睡眠薬(n)
Hustensaft	Fiebermittel	Schlafmittel
フーステンザフトゥ	フィーバァミッテル	シュラーフミッテル

何回飲まなければいけませんか？
Wie oft soll ich sie nehmen?
ヴィー オフトゥ ゾル イッヒ ズィー ネーメン

一日〇回 Omal am Tag	食前(後) Vor (nach) dem Essen
マール アム タァク	フォア (ナッハ) デム エッセン

病院・内臓

トラブル Probleme
プロブレーメ

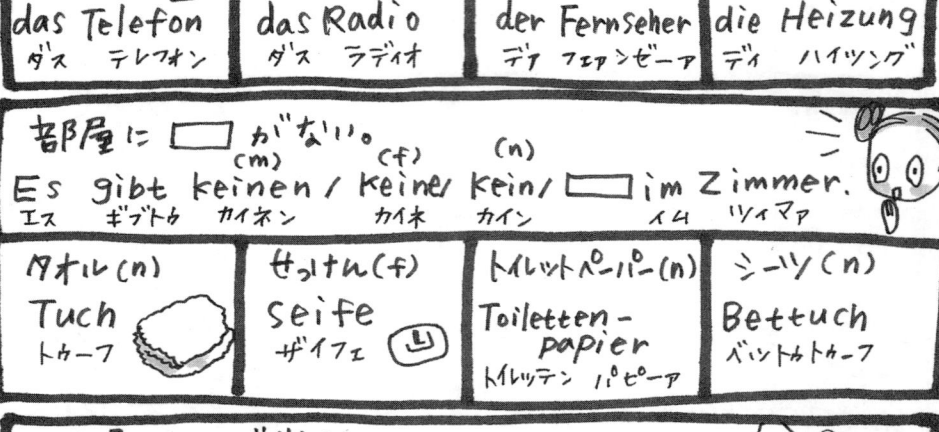

□が動かない。 □ funktioniert nicht. フンクツィオニーアトゥ ニヒトゥ	シャワー die Dusche ディ ドゥーシェ	トイレ die Toilette ディ トイレッテ
電話 das Telefon ダス テレフォン	ラジオ das Radio ダス ラディオ	テレビ der Fernseher デア フェアンゼーア	暖房 die Heizung ディ ハイツング

部屋に □ がない。(m) (f) (n)
Es gibt keinen / keine / kein / □ im Zimmer.
エス ギブトゥ カイネン カイネ カイン イム ツィマァ

タオル(n) Tuch トゥーフ	せっけん(f) Seife ザイフェ	トイレットペーパー(n) Toiletten- papier トイレッテン パピーア	シーツ(n) Bettuch ベットゥトゥーフ

お湯(水)が出ない。
Es kommt kein heißes (kaltes) Wasser.
エス コムトゥ カイン ハイセス (カルテス) ヴァッサァ

トイレがつまっている。
Die Toilette ist verstopft.
ディ トイレッテ イストゥ フェアシュトプフトゥ

電気がつかない。
Das Licht geht nicht an.
ダス リヒトゥ ゲートゥ ニヒトゥ アン

カギが開かない(閉まらない)。
Ich kann die Tür nicht aufschließen (abschließen).
イッヒ カン ディ トュア ニヒトゥ アウフシュリーセン (アップシュリーセン)

窓が開かない(閉まらない)。
Ich kann das Fenster nicht aufmachen (zumachen).
イッヒ カン ダス フェンスタァ ニヒトゥ アウフマッヘン (ツーマッヘン)

カギを部屋に忘れた。
Ich habe den Schlüssel im Zimmer liegen gelassen.
イッヒ ハーベ デン シュリュッセル イム ツィマァ リーゲン ゲラッセン

日本語	ドイツ語	カタカナ
待って！	Halt!	ハルトゥ
助けて—！	Hilfe	ヒルフェ
やめて！	Hör auf!	ホェア アウフ
消え失せろ！	Verpiss dich!	フェアピス ディッヒ
ほっといて！	Laß mich in Ruhe!	ラス ミッヒ イン ルーエ

私の□が〜
- (m)(n) Mein / マイン
- (f) Meine / マイネ

□ist〜. / イストゥ

盗まれた	gestohlen	ゲシュトーレン
なくなった	verlorengegangen	フェアローレンゲガンゲン
お金 (m)	Geld	ゲルトゥ
財布 (m)	Geldbeutel	ゲルトゥボイテル
パスポート (m)	Reisepaß	ライゼパス
カバン (f)	Tasche	タッシェ
荷物 (n)	Gepäck	ゲペック
クレジットカード (f)	Kreditkarte	クレディットゥカァテ
航空券 (n)	Flugticket	フルークティケットゥ
カメラ (m)	Fotoapparat	フォトアパラートゥ

私は〜された / Ich wurde〜 / イッヒ ヴルデ

日本語	ドイツ語	カタカナ
強盗にあった	beraubt	ベラウプトゥ
襲われた	überfallen	ユーバァファレン
なぐられた	geschlagen	ゲシュラーゲン
だまされた	betrogen	ベトゥローゲン
暴行（強かん）された	vergewaltigt	フェアゲヴァルティグトゥ

□を呼んでください。 / Bitte rufen Sie □. / ビッテ ルーフェン ズィー

日本語	ドイツ語	カタカナ
警察を	die Polizei	ディ ポリツァイ
緊急医師を	den Notarzt	デン ノートゥアァツトゥ
救急車を	den Krankenwagen	デン クランケンヴァーゲン
消防車を	die Feuerwehr	ディ フォイヤヴェーア

トラブル／その他

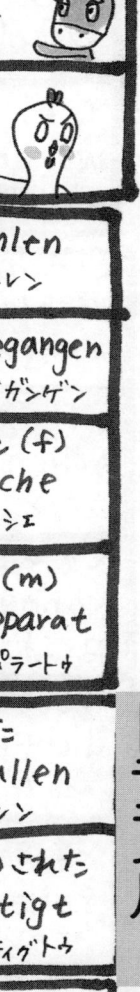

疑問詞・動詞 Interrogationen/Verben
インテロガツィオーネン/ヴェアベン

何 Was ヴァス	どこ Wo ヴォー	誰が Wer ヴェア	いつ Wann ヴァン	どうやって Wie ヴィー
なぜ* Warum ヴァルム	なぜなら weil ヴァイル	どこへ Wohin ヴォーヒン	どこから Woher ヴォーヘア	いくつ wieviel ヴィーフィーレ

~したい(希望) möchten モェヒテン	私は~したい Ich möchte~. イッヒ モェヒテ		~はいかが? Möchten Sie~. モェヒテン ズィー
~したい(意志) wollen ヴォレン	私は~したい Ich will~. イッヒ ヴィル		~しない? Wollen wir~? ヴォレン ヴィア
~できる können コェンネン	私は~できる。 Ich kann~. イッヒ カン		~していただけますか? Könnten Sie~? コェンテン ズィー
~してもいい dürfen ドュゥフェン	私は~してもいい Ich darf~. イッヒ ダァフ		~してもいいですか? Darf ich~? ダァフ イッヒ
~すべきである sollen ゾレン	私は~すべきである Ich soll~. イッヒ ゾル		~しましょうか? Soll ich~? ゾル イッヒ
~しなくてはならない müssen ミュッセン	私は~しなくてはならない。 Ich muss~. イッヒ ムス	私は~する必要ない Ich muss nicht~. イッヒ ムス ニヒトゥ	

~である Sein ザイン	いる(存在) dasein ダザイン	持っている、いる haben ハーベン	~になる werden ヴェアデン	好き mögen モェーゲン

*同じ意味に「wieso(ヴィーソー)」がある。

～する machen マッヘン	～する、行う tun トゥーン	見る、見かける sehen ゼーエン	観る schauen シャウエン	聞く hören ホェーレン
話す sprechen シュプレッヘン	言う sagen ザーゲン	書く schreiben シュライベン	読む lesen レーゼン	理解する verstehen フェアシュテーエン
知っている kennen ケンネン	(聞いて) 知っている wissen ヴィッセン	聞き知る erfahren エアファーレン	考える、思う denken デンケン	思う、信じる glauben グラウベン
行く gehen ゲーエン	来る kommen コメン	あげる geben ゲーベン	取る nehmen ネーメン	もらう bekommen ベコメン
とどまる bleiben ブライベン	泊まる übernachten ユーバナハテン	見かける helfen ヘルフェン	尋ねる fragen フラーゲン	答える antworten アントヴォァテン
待つ warten ヴァァテン	遊ぶ * spielen シュピーレン	寝る schlafen シュラーフェン	起きる、立つ *** aufstehen アウフシュテーエン	座る ** hinsetzen ヒンゼッツェン
探す suchen ズーヘン	見つける finden フィンデン	働く arbeiten アァバイテン	習う lernen レァネン	(大学で) 勉強する studieren シュトゥディーレン
泣く weinen ヴァイネン	笑う lachen ラッヘン	やめる *** aufhören アウフホェーレン	始まる *** anfangen アンファンゲン	忘れる vergessen フェアゲッセン
使う benutzen ベヌッツェン	気をつける *** aufpassen アウフパッセン	電話をかける anrufen アンルーフェン	思い出す ** erinnern エリンネァン	待ち合わせる ** verabreden フェァアップレーデン

疑問詞・動詞 その他

＊他に「プレーする」「演じる」「演奏する」などいろいろな意味がある。＊＊再帰代名詞 sich(ズィッヒ)がつく。詳しくは第2部の文法解説を参照。＊＊＊分離動詞→第2部参照。

形容詞 Adjektive
アドゥイェクティーヴェ

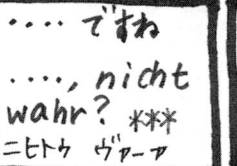

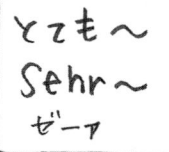

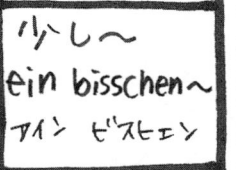

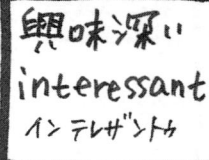

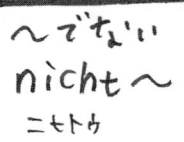

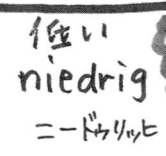

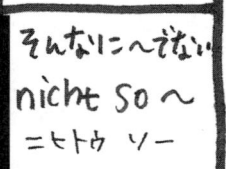

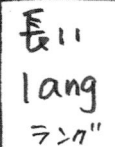

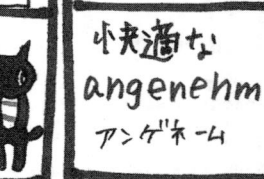

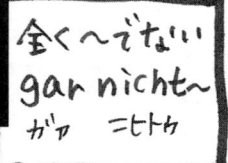

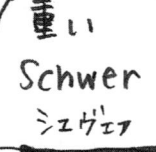

・・・ですね ・・・, nicht wahr? *** ニヒトゥ ヴァーア	○は(□のように)〜だ。 ○ ist 〜 (wie □). イストゥ (ヴィー)		
とても〜 Sehr〜 ゼーア	いい* gut グートゥ	悪い schlecht シュレヒトゥ	重要な wichtig ヴィヒティッヒ
〜すぎる zu〜 ツー	多い** viel フィーレ	少ない wenig ヴェーニッヒ	価値ある wertvoll ヴェアトゥフォル
少し〜 ein bisschen〜 アイン ビスヒェン	大きい groß グロース	小さい klein クライン	興味深い interessant インテレザントゥ
〜でない nicht〜 ニヒトゥ	高い hoch ホッホ	低い niedrig ニードゥリッヒ	親切、いい nett ネットゥ
そんなに〜でない nicht so〜 ニヒトゥ ゾー	長い lang ラング	短い kurz クゥツ	快適な angenehm アンゲネーム
全く〜でない gar nicht〜 ガァ ニヒトゥ	太い dick ディック	細い schlank シュランク	便利な praktisch プラクティッシュ

重い Schwer シュヴェア

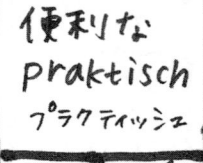

軽い leicht ライヒトゥ

比較級 *besser(ベッサァ) **mehr(メア) ***南の方では、「〜, gell?!(ゲル)」という

○は□より〈形容詞〉だ。
○ ist 〈形容詞〉-er* als □.
イストゥ　　　　　　　　　アルス

年取った alt アルトゥ	若い jung ユング	高い teuer トイヤァ	安い billig ビッリッヒ
古い alt アルトゥ	新しい neu ノイ	近い nah ナー	遠い weit ヴァイトゥ
強い stark シュタァク	弱い schwach シュヴァッハ	速い schnell シュネル	遅い langsam ラングザム
固い hart ハァトゥ	やわらかい weich ヴァイヒ	明るい hell ヘル	暗い** dunkel ドゥンケル
うるさい laut ラウトゥ	静か ruhig ルーイッヒ	暑い、熱い heiß ハイス	寒い、冷たい kalt カルトゥ
かんたん einfach アインファッハ	難しい schwierig シュヴィーリッヒ	きれい sauber ザウバァ	きたない schmutzig シュムッツィッヒ
正しい richtig リヒティッヒ	まちがった falsch ファルシュ	機嫌いい gut drauf グートゥ ドゥラウフ	機嫌悪い schlecht drauf シュレヒトゥ ドゥラウフ

形容詞

その他

*a, o, u は ä (エ), ö (エ), ü (エ)になる　**比較級　dunkler (ドゥンクラァ)

生き物 Lebewesen
レーベヴェーゼン

～は日本に(も)いる	たくさん Viel
Es gibt ～ (auch) in Japan.	フィール
エス ギブトゥ (アウホ) イン ヤーパン	
～はドイツにもいますか？	そんなにいない
Gibt es ～ in Deutschland?	nicht viel
ギブトゥ エス イン ドイチュランドゥ	ニヒトゥ フィール

動物 Tier ティーア	犬 Hund フンドゥ	ネコ Katze カッツェ	うさぎ Hase ハーゼ
オス牛 Ochse オクセ	メス牛 Kuh クー	ウマ Pferd プフェアドゥ	イノシシ Wildschwein ヴィルドゥシュヴァイン
ひつじ Schaf シャーフ	やぎ Ziege ツィーゲ	ロバ Esel エーゼル	鹿 Hirsch ヒァシュ
クマ Bär ベア	キツネ Fuchs フックス	オオカミ Wolf ヴォルフ	サル Affe アッフェ
ネズミ Maus マウス	トカゲ Eidechse アイデクセ	ヘビ Schlange シュランゲ	カエル Frosch フロッシュ
ブタ Schwein シュヴァイン	イルカ Delphin デルフィーン	クジラ Wal ヴァール	カメ Schildkröte シルドゥクロェーテ

| ○は〜だと思う。 Ich finde ○ 〜. イッヒ フィンデ | かわいい Süß ズュース | 気持ち悪い Schrecklich シュレックリッヒ |

この動物はドイツ語でなんて言うの？
Wie heißt dieses Tier auf Deutsch?
ヴィー ハイストゥ ディーゼス ティーア アウフ ドイチュ

鳥 Vogel フォーゲル	スズメ Spatz シュパッツ	ハト Taube タウベ	ニワトリ Huhn フーン
魚 Fisch フィッシュ	アヒル Ente エンテ	ワシ Adler アードゥラァ	カラス Rabe ラーベ
金魚 Goldfisch ゴールドゥフィッシェ	コイ Karpfen カァプフェン	昆虫 Insekt インゼクトゥ	チョウ Schmetterling シュメッタァリング
ハチ Biene ビーネ	ハエ Fliege フリーゲ	カ Schnacke シュナーケ	くも Spinne シュピンネ
花 Blume ブルーメ	木 Baum バウム	草 Gras グラス	葉 Blatt ブラットゥ
きのこ Pilz ピルツ	森 Wald ヴァルドゥ	草地 Wiese ヴィーゼ	畑 Feld フェルドゥ

生き物

その他

住所を尋ねる　In Kontakt bleiben
イン コンタクトゥ ブライベン

～教えていただけますか？	～をくれる？（親しい間柄）
Können Sie mir ～ geben?	Kannst du mir ～ geben?
ケンネン ズィー ミア ゲーベン	カンストゥ ドゥ ミア ゲーベン

あなたの（君の）名前	あなたの（君の）住所	あなたの（君の）電話番号	あなたの（君の）メールアドレス
Ihren (deinen) Name	Ihre (deine) Adresse	Ihre (deine) Telefonnummer	Ihre (deine) Mailadresse
イーレン（ダイネン）ナーメ	イーレ（ダイネ）アドレッセ	イーレ（ダイネ）テレフォンヌマァ	イーレ（ダイネ）メイルアドレッセ

あなたに（君に）～を送ります。	手紙を	写真を
Ich schicke Ihnen (dir) ～.	einen Brief	（1枚）ein Foto
イッヒ シッケ イーネン（ディア）	アイネン ブリーフ	アイン フォト
		（複数）Fotos
		フォトス

連絡するね	連絡ちょうだいね！
Ich melde mich bei dir.	Melde dich mal!
イッヒ メルデ ミッヒ バイ ディア	メルデ ディッヒ マール

手紙（メール）書いてネ！	連絡取り合おうね！
Schreib mir einen Brief! (eine Mail)	Wir bleiben in Kontakt!
シュライブ ミア アイネン ブリーフ（アイネ メイル）	ヴィア ブライベン イン コンタクトゥ

ここに書いて下さい
Bitte, schreiben Sie hier.
ビッテ、シュライベン ズィー ヒーア

*ドイツの人々はいくつになっても誕生日にはお祝いを述べる習慣があるので、カードを送るととても喜ばれる。ただし、誕生日前にお祝いを述べると不幸を招くとされるので気をつけて。

第2部

ドイツで楽しく会話するために

"第2部"は、超初心者向けに文法や
コミュニケーションのコツを解説しています。
話す力も、話す内容の幅も確実に
ワンランクアップできます。

ドイツ語について

この本を手にされた方は、多かれ少なかれドイツ語に興味を持たれたからでしょう。「これからドイツ語を習おう！」と思っている方がいらっしゃるかもしれませんね。せっかく持った読者の方々のやる気を損ねるわけではないのですが、ドイツ語はとにかく覚えなくてはならないことがたっくさんあり、初めてドイツ語に触れる方にはとてもとっつきにくい言語です。

それでも、知りたがりやさんのために一応、この章では、ドイツ語がどのくらいタイヘンなものなのかをさらっと紹介しましょう。途中で眠くなること間違いなしです！

その前に、まず方言についてお話ししましょう。

外国人が習うドイツ語は、もちろん標準ドイツ語ですが、実際には方言がたくさん存在し、現地の人々はたいてい方言で話しているので、初めてドイツ語に触れると戸惑ってしまうでしょう。例えば、ミュンヘン辺りで話されるバイエリッシュでは、rが巻き舌だったり、北ドイツでは、語尾のgが「ク」ではなく「ヒ」と発音されたりと方言により発音の仕方が異なります。また、北西ドイツでは、プラットドイチュと言われる言語が話されていて、これはもうドイツ語ではありません。標準ドイツ語は、ハノーファーでのみ話されているようです。ドイツ語はドイツ以外、スイスの一部やオーストリアでも話されていますが、これもまた、方言のような感じで発音や単語が違ったりします。以前、ドイツのテレビでアーノルド・シュワルツネッガーがドイツ語でインタビューに答えているのを聞いた時、「これじゃあ、ただのチロルのおやじだぞ」なーんてがっくりしたものです。

もちろん、若い世代の人々は標準語を話しますので、あなたが何か質問をしたら、きっと標準語で答えてくれるでしょう。ただ、年配の人々は必ずしも標準語を話すとは限りません。しかし、この本を駆使してコミュニケーションをとれば、たとえ発音が違っても理解できると思います。

難題その1：発音

基本的にドイツ語は、書いてある通りに読めばいいのですが、この本に表記されているカタカナをそのまま発音をしても多分通じないことが度々あるでしょう。なぜなら、ドイツ語には日本語にない発音がいくつかあるからです。

まず母音ですが、これはa,e,i,o,uのほかにウムラウトと呼ばれる、ä,ö,üがあります。a,e,i,oは日本語のア、エ、イ、オとほぼ同じなのですが、日本語よりも口をもっと大きく動かします。uはちょっと注意が必要です。日本語のウよりもっと口を尖らせたウです（たこチューの口なのですが、おわかりいただけるかしら）。äは日本語のエよりもっと口を横に広げます。厄介者は残り2つの母音です。öはオとエの中間の音であり、オの口をしながらエと発音する感じです。また、üはウとイの間の音でウの口をしながらイと発音します。

また、以下のように、母音が2つ重なった場合にも、読み方の規則があります。

au：アウ　　　　例：Auge（アウゲ）：ただし"ウ"は弱く
ei：アイ　　　　例：Eis（アイス）
eu：オイ　　　　例：heute（ホイテ）

ie：イー　　　　　　　例：Biene（ビーネ）

次に子音ですが、アルファベット読みと異なるものがいくつかあります。

j：ヤ行　　　　s：ザ行　　　　v：ファ行
w：ヴァ行　　　z：ツァ行　　　ß：サ行

私たちにとって発音が困難なものは、まず"r"と"l"の区別です。といっても、"l"は日本語のラ行と変わらないので楽勝ですが、問題は"r"です。私は語学学校で、「うがいをする感じで喉をならす」と習いましたが、そんな感じです。とはいえ、慣れるまではかなり難しいです。しかも、地域により"r"の発音が異なるので、一概にこう発音するとも言い切れないのです。
もうひとつ、発音で注意をしなければならないのは"w"で、下唇を噛むようにして発音し、"b"と区別します。
また、"si"は「ジ」ではなく「ズィ」と発音し、"qu"は「ク」と発音します。
このほか、子音の組み合わせによる発音の規則は以下の通りです。

sch：シュ　　　　　　　例：Schuhe（シューエ）
ch：ヒ、ハ　　　　　　例：Kirche（キァヒェ）
tsch：チュ　　　　　　例：Tschuß（チュス）
ss,ß：ス　　　　　　　例：Schloss（シュロス）
th：テ　　　　　　　　例：Theater（テアタァ）
tz：ツ　　　　　　　　例：jetzt（イエツトゥ）
ph：フ　　　　　　　　例：Physiker（フィズィカァ）
pf：プフ。ただし、プとフノ間に子音ウが入らないよう素早く発音する。
　　　　　　　　　　　　　例：Pfeffer（プフェッファァ）
同一子音が2つ重なる時：短く発音　例：satt（ザットゥ）

他にも細かな規則はありますが、基本的に英語と違ってひとつの母音なり子音なり組み合わせなりにひとつの発音しかない（もちろん例外はあります）ので、これらの規則さえ覚えてしまえば、知らない単語に出くわしても簡単に読めるでしょう。

難題 その2：冠詞

ドイツ語の名詞には、英語と違い必ず冠詞が付きます。しかも、同じように冠詞を持つフランス語などよりもっと困り者で、男性名詞、女性名詞のほかに中性名詞なるものまで存在します。第1章では、必要に応じて男性名詞に(m)、女性名詞に(f)、中性名詞には(n)と表記しています。また、複数形のみの単語には(pl)と表記しています。
さてこの冠詞、自然の理にかなった冠詞に関しては、なーんの問題もないのですが、それ以外に関しては、覚えなくてはなりません。冠詞が抜けてしまうとどうやらリズムが崩れてまのびしたような感じ（？）に響くようです。
冠詞の覚え方には、いくつか規則があるようですが、面倒なことにその規則にあてはまらない例外なるものが必ず存在します。
さらに厄介なことに、この冠詞が、格により変化するのです。これもただ、覚えてしまう以

外どうしようもありません。

(1) 不定冠詞
英語の「a」にあたり、「ひとつの〜」や「とある〜」というように不特定のものをさすときに用いられます。

		男性名詞（m）	女性名詞（f）	中性名詞（n）
1格	（〜が、は）	**ein** Apfel	**eine** Banane	**ein** Buch
2格	（〜の）	**eines** Apfels	**einer** Banane	**eines** Buches
3格	（〜に）	**einem** Apfel	**einer** Banane	**einem** Buch
4格	（〜を）	**einen** Apfel	**eine** Banane	**ein** Buch
		一個のりんご	一本のバナナ	一冊の本

(2) 定冠詞
英語の「the」にあたり、ある特定のものをさすときに用いられます。

		男性名詞	女性名詞	中性名詞
1格	（〜が、は）	**der** Mann	**die** Frau	**das** Kind
2格	（〜の）	**des** Mannes	**der** Frau	**des** Kindes
3格	（〜に）	**dem** Mann	**der** Frau	**dem** Kind
4格	（〜を）	**den** Mann	**die** Frau	**das** Kind
		その男性	その女性	その子供

表をご覧になってお気づきかと思いますが、不定冠詞、定冠詞のどちらでも2格の場合、単語によっては語尾に何か付くことがあります。これも辞書を引いて覚えるしかありません。

例：der Name der Frau（その女性の名前）

(3) 指示代名詞、不定代名詞、疑問代名詞
以下のような指示代名詞、不定代名詞および疑問代名詞では、語尾の「-er」の部分が性や格により変化します。
dieser（この）　　jener（その）　　　　solcher（そのような）
jeder（それぞれの）　　welcher（どの）

		男性名詞	女性名詞	中性名詞
1格	（〜が）	dies**er** Zug	dies**e** U-Bahn	dies**es** Auto
2格	（〜の）	dies**es** Zuges	dies**er** U-Bahn	dies**es** Autos
3格	（〜に）	dies**em** Zug	dies**er** U-Bahn	dies**em** Auto
4格	（〜を）	dies**en** Zug	dies**e** U-Bahn	dies**es** Auto
		この電車	この地下鉄	この車

難題 その３： 複数形

英語やフランス語の場合、名詞の語尾に「s」をつけると複数形になりますよね。しかし、ドイツ語の場合はそう簡単にはいきません。
第１章をご覧になってお気づきのことと思いますが、（ ）表記が度々あります。これが複数形を表しています。名詞により複数形は異なり、単数形と同じものがあったり（例１）、語尾に何か付くものがあったり（例２）、母音がウムラウトに変化したり（例３）、母音がウムラウトに変化したうえ語尾に何か付いたり（例４）と、様々でありこれも辞書を見て覚えなくてはなりません。

	単数	複数	
例１：	das Brötchen	die Brötchen	ちいさなパン
例２：	die Seife	die Seifen	せっけん
例３：	der Apfel	die Äpfel	りんご
例４：	das Tuch	die Tücher	タオル

複数形の冠詞の変化は以下の通りです。注意が必要なのは、３格のときは語尾に「n」が付きます。ただし、複数形が「n」や「s」で終わっているものはそのままです。

	定冠詞	定冠詞類
１格（～は、～が）	**die** Kinder	**diese** Tomaten
２格（～の）	**der** Kinder	**dieser** Tomaten
３格（～に）	**den** Kinder**n**	**diesen** Tomaten
４格（～を）	**die** Kinder	**diese** Tomaten
	その子供たち	これらのトマト

難題 その４：名詞の形容詞的変化

名詞の中には、形容詞から派生したものがあります。たいていは人を表すものですから中性はありませんが、このような名詞の語尾は性、格、数により変化します。
「知人」という単語を例に変化の仕方を示します。

（１） 不定冠詞

	男性	女性
１格	**ein** Bekannt**er**	**eine** Bekannt**e**
２格	**eines** Bekannt**en**	**einer** Bekannt**en**
３格	**einem** Bekannt**en**	**einer** Bekannt**en**
４格	**einen** Bekannt**en**	**eine** Bekannt**e**

(2) 定冠詞

	男性	女性	複数
1格	der Bekannte	die Bekannte	die Bekannten
2格	des Bekannten	der Bekannten	derBekannten
3格	dem Bekannten	der Bekannten	den Bekannten
4格	den Bekannten	die Bekannte	die Bekannten

この他、冠詞なしの場合の変化もありますが、ここでは省略します。

難題 その5： 所有格とその変化

まず、所有格の基本は以下の表の通りです。

私	あなた	君	彼 男性名詞	彼女 女性名詞	それ 中性名詞
mein	**Ihr**	**dein**	**sein**	**ihr**	**sein**
私たち	あなたたち	君たち	彼ら、彼女たち、それら		
unser	**Ihr**	**euer**	**ihr**		

もちろんこの所有格も冠詞と同様、名詞の性や数により変化します。
「mein（私の）」を例にその変化の仕方を見てみましょう。

	男性名詞	女性名詞	中性名詞	複数
1格	**mein** Mann	**meine** Frau	**mein** Kind	**meine** Kinder
2格	**meines** Mannes	**meiner** Frau	**meines** Kindes	**meiner** Kinder
3格	**meinem** Mann	**meiner** Frau	**meinem** Kind	**meinen** Kindern
4格	**meinen** Mann	**meine** Frau	**mein** Kind	**meine** Kinder
	私の夫	私の妻	私の子供	私の子供たち

「euer」以外は、「mein」と同様に変化します。「euer」は男性名詞1格、中性名詞1格と4格以外では、例えば女性名詞1格「eure」というように「e」がなくなります。

難題 その6： 人称代名詞とその変化

人称代名詞も性と格により変化します。

単数	私	あなた	君	彼	彼女	それ
1格 （～が、は）	ich	Sie	du	er	sie	es
3格 （～に）	mir	Ihnen	dir	ihm	ihr	ihm
4格 （～を）	mich	Sie	dich	ihn	sie	es
複数	私たち	あなたたち	君たち	彼ら それら		
1格 （～が、は）	wir	Sie	ihr	sie		
3格 （～に）	uns	Ihnen	euch	ihnen		
4格 （～を）	uns	Sie	euch	sie		

あなた「Sie」と君「du」の使い方としては、初めて会った人や目上の人に対して「Sie」、友達や家族、同僚などには「du」が基本です。ただ、初めて会った人でも同世代だったり、年上の人でも飲み屋で意気投合したなどというときは、「du」でもOKです。目安としては、初対面の相手が「du」で話していたらそのまま「du」で話を進めればいいでしょう。

難題その7： 形容詞

これまたとてもメンドーもので、名詞の性、冠詞の種類などにより語尾が変化します。基本的に冠詞と名詞の間に形容詞が入ります。

（1） 不定冠詞

	男性	女性	中性
1格	ein alt**er** Mann	eine alt**e** Frau	ein süß**es** Kind
2格	eines alt**en** Mannes	einer alt**en** Frau	eines süß**en** Kindes
3格	einem alt**en** Mann	einer alt**en** Frau	einem süß**en** Kind
4格	einen alt**en** Mann	eine alt**e** Frau	ein süß**es** Kind
	ある年輩の男性	ある年輩の女性	あるかわいい子

（2） 定冠詞

	男性	女性	中性	複数
1格	der alt**e** Mann	die alt**e** Frau	das süß**e** Kind	die neu**en** Schuhe
2格	des alt**en** Mannes	der alt**en** Frau	des süß**en** Kindes	der neu**en** Schuhe
3格	dem alt**en** Mann	der alt**en** Frau	dem süß**en** Kind	den neu**en** Schuhen
4格	den alt**en** Mann	die alt**e** Frau	das süß**e** Kind	die neu**en** Schuhe
	その年輩の男性	その年輩の女性	そのかわいい子	その新しい靴

この他、冠詞がない場合もあるのですがまぁここでは省略します。

難題 その8： 助動詞とその変化

ドイツ語の助動詞は、それぞれの主語により変化します。もちろんこれも覚えるのみです。

原形	**können**	**wollen**	**dürfen**	**sollen**
ich	kann	will	darf	soll
du	kannst	willst	darfst	sollst
Sie	können	wollen	dürfen	sollen
er, sie, es	kann	will	darf	soll
wir	können	wollen	dürfen	sollen
ihr	könnt	wollt	dürft	sollt
sie	können	wollen	dürfen	sollen
	できる	したい	してもよい	したほうがいい

原形	**müssen**	**mögen**	**möchten**
ich	muß	mag	möchte
du	musst	magst	möchtest
Sie	müssen	mögen	möchten
er, sie, es	muss	mag	möchte
wir	müssen	mögen	möchten
ihr	müsst	mögt	möchtet
sie	müssen	mögen	möchten
	しなければならない	かもしれない	したい

なお、「möchten」は助動詞「mögen」の接続法第2式というなんだか正体のしれないものなのですが、とにかく会話でよく使われるので、そんなことは置いておいて「～したい」とだけ覚えておけば充分です。「möchten」と「wollen」の違いは、「möchten」が漠然とした希望を示すのに対して、「wollen」は意志を示します。

難題 その9 : 動詞の変化

動詞の基本形の語尾は「en」もしくは「n」であり、この部分が主語により変化します。独立動詞と呼ばれる「sein（ある、いる）」と「werden（になる）」および「haben（持っている）」以外は、全ての動詞で変化の仕方が同じです。

原形	独立動詞			動詞
	sein	**werden**	**haben**	**gehen**
ich	bin	werde	habe	gehe
du	bist	wirst	hast	gehst
Sie	sind	werden	haben	gehen
er, sie, es	ist	wird	hat	geht
wir	sind	werden	haben	gehen
ihr	seid	werdet	habt	geht
sie	sind	werden	haben	gehen
	ある、いる	になる	持っている	行く

難題 その10：語順

（1）肯定文
基本型は、「主語＋動詞＋名詞（3格）＋名詞（4格）……」ですが、主語は必ずしも一番最初とは限りません。そのような場合は、2番目の動詞は変わらずその後に主語が来ます。
また、助動詞があるときは、助動詞が2番目にきて、動詞は文末にきます。
なお、イタリア語などのように主語を省略することはできません。
また、目的語の順序は、目的語が代名詞の場合、反対になります。

例1： <u>Ich</u> <u>spiele</u> <u>gerne</u> <u>Tennis</u>.（私はテニスをするのが好きだ）
　　　　私は ＋ プレーする ＋好んで＋テニスを

例2： Ich zeige es dir.　　　（それを君に見せよう）
　　　　私は＋見せる＋それを＋君に
例3： Gleich fahre ich nach Berlin.（もうすぐ私はベルリンへ行く）
　　　　もうすぐ＋行く＋私は＋ベルリンへ
例4： Ich möchte noch ein Bier trinken.（もう一杯ビールを飲みたい）
　　　　私は＋したい＋もう＋一杯のビール＋飲む

（２）否定文
否定する単語の前に「nicht」をつけます。ただし、名詞の場合は冠詞の代わりに「kein」が用いられます。なお、「kein」の変化のしかたは所有格と同様です。

例1： Ich spiele nicht gerne Tennis.（テニスをするのは好きでない）
　　　　私は＋プレーする＋しない＋好んで＋テニスを
例2： Ich kann heute nicht ins Kino gehen.　（私は今日映画館へ行けない）
　　　　私は＋できる＋今日＋ない＋映画へ＋行く
例3： Ich habe kein Kind.（私には子供はいない）
　　　　私は＋いる＋ない＋子供

（３）疑問文
疑問詞がない場合：動詞＋主語＋目的語……
疑問詞がある場合：疑問詞＋動詞＋主語＋目的語……
　　　　　　　　　疑問詞＋助動詞＋主語＋目的語……動詞

例1： Haben Sie Kinder?（あなたには子供がいますか？）
　　　　いる＋あなたは＋子供が？
例2： Willst Du noch ein Bier?（ビールもう一杯いる？）
　　　　ほしい＋君は＋もう＋一杯ビールを？
例3： Wann kommt dieser Zug in Köln an？（この電車はいつケルンに着くの？）
　　　　いつ＋着く＋この電車は＋ケルンに＋（分離動詞）？
例4： Was willst du essen？（何食べたい？）
　　　　何を＋したい＋君は＋食べる？

難題 その11： 分離動詞

その名の通り、動詞が分離します。単語集では「zu・machen」というように分離する部分に「・」をつけてあります。どのように分離するのかというと、前部は文末に、そして後部は動詞の定位置２番目にきます。ただし、助動詞が用いられる場合は、原形のまま文末にきます。なお、後部は普通の動詞と同じように主語により変化します。

例1： Er geht heute abend aus.　　　（彼は今夜外出する）
　　　　原形は「aus・gehen」
例2： Ich möchte das Fenster aufmachen.　　　（私は窓を開けたい）
　　　　原形は「auf・machen」

難題 その12: 再帰代名詞と再帰動詞

単語集をご覧になった方なら「？」と疑問に思われた方もいらっしゃることでしょう。例えば、「思い出す」には、「sich an ~ erinnern」と書かれています。「an ~」はおいておいて、「sich erinnern」がクセ者の再帰代名詞（sich）と再帰動詞（erinnern）と呼ばれるものです。
まず、再帰代名詞ですが、これには3格と4格があります。2格もあるようですが、私自身まだお目にかかったことがありません。この再帰代名詞は主語と連動します。

	私	君	あなた あなた達	彼 彼女 それ	私達	君達	彼ら それら
3格	mir	dir	Sich	sich	uns	euch	sich
4格	mich	dich	Sich	sich	uns	euch	sich

再帰動詞とは、再帰代名詞を必要とする動詞ですが、主語による動詞の変化は、他の動詞の変化となんら変わりはありません。
なお、再帰代名詞は、動詞もしくは助動詞のすぐ後に位置します。
例1： Ich erinnere mich an sie.（私は彼女を思い出す）
例2： Ich schaue mir nur um. （見ているだけです）

難題 その13: 前置詞

基本形は、前置詞＋名詞であり、前置詞により名詞の格が決まります。前置詞によっては、意味によって名詞が3格のときもあれば、4格のときもあるといったものもあり、これまた一筋縄ではいきません。そのような前置詞は、たいていは場所を表す時（〜に）は3格、場所の移動を表す時（〜へ）は4格を、といった具合です。これも覚えなくてはなりません。

例1： Ich gehe in die Uni.　（私は大学へ行く）
例2： Ich bin jetzt in der Uni.（私は今、大学にいる）

難題 その14：熟語

動詞によっては必ず決まった前置詞を必要とするものがあり、これも覚えなくてはなりません。そのような動詞については単語集にて、前置詞と名詞の格を合わせて表記していますので、興味があったらいろんな単語をあてはめてみてください。

例1： Ich bin sauer auf dich.（私は君に腹を立てている）
例2： Ich mache mir Sorgen um sie. （私は彼女のことが心配だ）

いかがでしたか？ ドイツ語って、なかなかタイヘンな言語でしょう。でも、それは初めだけです。初めはコツコツと単語と冠詞を覚えて、冠詞や動詞の変化や語順をひとつひとつ考えながら話して……と、何度も何度も繰り返し使っているうちにドイツ語のリズムに慣れますから、そうしたらもうこわいものなしです！
なんといっても、英語が大、大、大嫌いなこの私がドイツ語を話すのですから、本当はそんなに難しい言語ではないと思うので、大丈夫！

最後に、ドイツの人々と会話をするにあたって、一言！

とにかく口を大きく動かしてはっきりと話すことです。この国の人々はとにかく口に出してはっきりと言わなくては何もわかってくれません（言ってもわからないって話もありますが）。困っている時に、向こうからの助けを待っていてはいつまでたっても何も起こりません。一見、とっつきにくそうな人々ですが、まぁ、たいていは（いつもとは限りませんが）相手になってくれると思います。どうせ外国人の旅行者なのですから、ドイツの人々だって、文法だのなんだのが正しいことは求めないと思いますから、ご安心を。

ドイツの人々

（1） 気分は天気次第?!

ドイツの冬は寒くて、どんよりとしていて、屋外で何かをする機会が少ないためか、人々の機嫌もあまり良くないようです。また、その他の季節でも、長い間曇っていたり、雨ばかり降っているとやはり機嫌が悪くなるようで、ちょっとした会話では皆、悪い天気を嘆いています。しかも、何でも天気のせいにします。
反対に、春が来て太陽が射していると、まるで冬眠していた動物が眠りから覚めたように街のあちこちに繰り出して、どの顔もとても幸せそうです。
そのような感じで、実にわかりやすい人々です。

（2） 待つ＆並ぶのが嫌い?!

パン屋などのお店や駅のホームなど、ドイツの人々は基本的に並びません。
そんなわけで、お店では割込みバンバンだし、電車のドア口は、降りる人と乗る人とでごった返しで、ラッシュの時などは押し相撲状態です。
それでも最近は、銀行や郵便局など以前に比べて"並んで待つ"が実行されていて、以前に比べるとずいぶんよくなっています。
ところで、割り込みといえば、車の運転もかなり荒いですし（ラテンの国と比べたらまだいい方ですが）、たとえ渋滞していてもとにかく1台でも前へ！といった感じです。
たとえば、追い越し車線を時速140km、150kmで走っていて、前には車が連なっていますが後ろには誰もいない時など、どういうわけか突然、走行車線でトラックの後ろをのろのろと走っていた車がわずかの隙間へ無理矢理に入ってくるのです。しかも、その前には車が連なっているから飛ばせるわけでもないのに…。「なぜもう一台待てないの?!」

（3） 討論が好き?!

とにかくこの国の人々は、議論が好きなようです。テーマはサッカーだったり、政治だったりといろいろですが、とにかくそれぞれがそれぞれの意見を熱く語ります。そのためか、政治家の討論番組や視聴者参加のトークショー番組など日本と比べてびっくりするくらいいっぱいあります。まぁ、トークショーのテーマはたいていこれまたびっくりするくらいくだら

93

ないのですが、それでも必ず熱い討論が展開されます。ただ、どうやら彼らは人の話を聞くということは得意ではないように思えます。他の人が話していてもおかまいなく自分の意見を主張し始めたり、途中でチャチャを入れたりと、人の意見を最後まで聞いていません。

（4） 長期休暇がすべて！

ドイツでは、一般的に年間6週間有給があります。夏と冬に3週間ずつなどといった具合で、日本人にはうらやましいくらい長い有給を取ることが可能です。そして、長期休暇時期になると、旅行のことでテーマは持ちっきりです。まるで、どこか海外へ旅行へ行かなければいけないような、どこにも行かないとなんだか取り残されたような、そんな錯覚にさえ陥ってしまいます。

ドイツの人々は、「どこにでも日本人旅行者がいる。」などと言い張っていますが、彼らも負けないくらいあちこちに行っています。しかも、旅行にかける意気込みは日本人には想像できないくらいすごいです。モットーはとにかく安くて天気が良く、海があるところです。この長期休暇、ほとんど年間行事化しています。

ちなみにスペインのマヨルカ島などは、ドイツ人のハワイといったところで、ドイツ人だらけで、どこでもドイツ語が通じるそうです（やっぱりドイツ人と日本人って似てる？）。

（5） 倹約家

休暇をできるだけ安くといっても、やはりある程度の大きな額が必要ですよね。

ドイツの人々は、休暇にはそれなりにお金をかけても、その他にはあまりお金をかけない傾向にあるように思われます。最近は、傾向が変わってきていますが、それでも、洋服などにはあまり大金をはたかないし、流行もあまり追っていません。車にしても、たしかにお金はかかりますが、それでも、古い車を大切に（？）乗っています。なんにしてもひとつのものを長く使う、作れるものは自分で作る、できることは自分でするといった傾向があります。

（6） 英語話したがり?!

ドイツ人が英語を習うのは、日本人が習うのと比べものにならないくらい簡単です。そのためか、たいていの若い世代の人は英語を話します。そんなわけで、つたないドイツ語しか話せない外国人には、たとえこちらががんばってドイツ語で話していても、英語で返してきたりします。また、「ドイツ語でOKだよ」と言うと、『なーんだ、こいつドイツ語話すのか……』といった感じでなんだか残念そうな顔をされたりします。

というわけで、この本を持ってドイツ人に話しかけて、英語で答えられてもびっくりされませんように。彼らは単に英語を話したいだけですから。とはいえ、あなたがせっかくドイツ語で会話しようと試みたのですから、「Auf Deutsch, bitte.（アウフ ドイチュ、ビッテ＝ドイツ語でお願いします）」と言うとよいでしょう。

第3部

日本語→ドイツ語単語集

"第3部"では約4000の単語を収録しています。"第1部"の内容をさらに詳しく話すための言葉を多数収録しています。"第1部"の各ページと合わせて使用するとかなりの内容が伝えられます。

```
単語帳の標記について
名詞の性：[m] 男性名詞　[f] 女性名詞
　　　　　[n] 中性名詞　[pl] 複数形のみ
名詞の複数形：
例1　Name(n)　語尾に付加
例2　Eingang(-gäge)　一部括弧内に変化
例3　Arzt(Ärzte)　括弧内
例4　Partner(-)　単数形と同じ
例5　Sinn　後に何も表記がなければ、その名詞は単数のみ。
*印の名詞は冠詞により形容詞のように語尾が変化する。
{ } 内は略式表記。
動詞：
[s] が表記されている動詞では、完了形の助動詞は「sein」
分離動詞には、分離する部分に「・」を表記。
再帰動詞には「sich」を表記。再帰代名詞の格変化は、「sich³」
は3格、「sich」は4格。
前置詞の格支配：「～³」は3格、また「～」は4格。
```

あ 行

- あーあ .... tja
- ああ、そう。......... Ach, so.
- ああ、そうなの？.. Ach, ja?
- あぁ、ったく！.. Oh, Mann!
- 愛 .... [f]Liebe
- 愛国心 .... [f]Vaterlandsliebe
- 愛人 .... der/die Geliebte*
- 愛する .... lieben
- 相変わらず .... nach wie vor
- 愛護する .... schützen
- あいさつ .... [m]Gruß(Grüße)
- （式辞など）...... [f] Ansprache(n)
- 挨拶状 .... [f] Grußkarte(n)
- あいさつする ...... grüßen
- アイシャドウ ...... [m] Lidschatten
- アイス .... [n] Eis
- アイスコーヒー .. [m] Eiskaffee(s)
- 合図 .... [n] Zeichen
- あいつ .... der Kerl
- 空いたままにする ..frei lassen
- アイデア .... [f] Idee(n)
- 開いている .... auf
- 空いている .... frei
- あいにく .... leider
- 相棒（男）......... [m] Partner(-)
- 相棒（女）......... [f] Partnerin(nen)
- あいまい .... unklar
- アイルランド ..... Irland
- アイルランド人（男）[m] Ire(n)
- アイルランド人（女）[f] Irin(nen)
- アイルランドの ..irisch
- アイロン .... [n] Bügeleisen
- アイロンをかける .bügeln
- 会う .... treffen
- 合う .... passen
- 青い .... blau
- 赤い .... rot
- あかちゃん .... [n] Baby(s)
- 明かり .... [n] Licht(er)
- 上がる（上へ）... [s] hoch・gehen
- 上がる（上昇）... [s] steigen
- 明るい .... hell
- 明るい（性格）....temperamentvoll
- 秋 .... [m] Herbst(e)
- 明らかな .... klar
- あきらめる .... auf・geben
- 呆れる .... sprachlos sein
- 飽きた .... satt
- アクセサリー ..... [m] Schmuck
- アクセル .... [n] Gaspedal
- あくどい .... übel
- あくびをする ..... gähnen
- 悪魔 .... [m] Teufel
- 開ける .... auf・machen
- 開ける（カギを）auf・schliesen
- 空ける .... frei machen
- （中身を空に）...leeren
- 上げる（物を）...hoch・heben
- 上げる（程度を）.erhöhen
- あげる（人に）... geben
- 揚げる .... fritieren
- 顎 .... [n] Kinn(e)
- 下顎 .... [m] Kiefer(-)
- ～にあこがれる ..sich nach ~³ sehnen
- 朝 .... [m] Morgen(-)
- 朝に、の............ morgens
- あさって .... übermorgen
- 足 .... [m] Fuß(Füße)
- 足全体 .... [n] Bein(e)
- 味 .... [m] Geschmack (Geschmäcker)
- 味がする .... schmecken
- 味見する .... kosten
- アジア .... Asien
- アジア人（男）....[m] Asiat(en)
- アジア人（女）....[f] Asiatin(nen)
- アジアの............ asiatisch
- 明日 .... morgen
- あじわう............ geniesen
- 預ける .... ab・geben
- 汗 .... [m] Schweiß
- 汗をかく............ schwitzen(e)
- あそこ .... dort
- 遊ぶ .... spielen
- 遊びに行く .... [s] spielen gehen
- 遊び場 .... [m] Spielplatz(-plätze)
- 暖かい .... warm
- 頭 .... [m] Kopf(Köpfe)
- 頭がいい............ klug
- 新しい .... neu
- あたり前............ selbstverständlich
- あちこち............ überall
- 厚い .... dick
- 暑い .... heiß
- 集まる .... sich versammeln
- 集める .... sammeln
- 後で .... später、nachher.
- 当てる .... treffen
- 穴 .... [n] Loch(Löcher)
- あなた、あなたたち .Sie
- あの .... der,die,das
- あの頃 .... damals
- あの人（男）...... der Typ
- あの人（女）...... die Tussi
- 兄 .... der ältere Bruder(Brüder)
- 姉 .... die ältere Schwester(n)
- アパート............ [f] Bude(n)
- アヒル .... [f] Ente(n)
- あぶない............ gefährlich
- あぶない！........ Achtung!
- 油 .... [n] Öl(e)
- 脂っこい............ fett
- 脂ぎった............ fettig
- アフリカ .... Afrika
- アフリカ人（男）.[m] Afrikaner(-)
- アフリカ人（女）[f] Afrikanerin(nen)
- アフリカの......... afrikanisch
- 油絵 .... [n] Ölgemälde
- あべこべ............ umgekehrt
- アベック............ [n] Pärchen(-)
- 甘い .... süß
- 雨 .... [m] Regen
- 雨が降っている ..Es regnet.
- アメリカ .... Amerika
- アメリカ合衆国 .. die Vereinigten Staaten von Amerika .... die USA
- アメリカ人（男）[m] Amerikaner (-)
- アメリカ人（女）[f] Amerikanerin(nen)
- アメリカの......... amerikanisch
- 怪しい .... unheimlich
- 怪しい（疑わしい）verdächtig
- 怪しい（疑）...... fraglich
- 謝る .... sich entschuldigen
- 洗う .... waschen
- 洗う（食器を）... Geschirr spülen
- ありがとう......... Danke.
- ～がある............ Es gibt ~.
- ～である............ sein
- あるいは（または）oder
- 歩いて行く......... [s] zu Fuß gehen
- アルバイト......... [m] Job(s)
- アレルギー......... [f] Allergie
- アレルギーもち（～に対して）.................. allergisch(gegen~)
- あわただしい ..... gehetzt
- 暗証番号............ [f] Geheimnummer(n)
- 安心する............ sich beruhigen
- 安心して！........ Keine Sorge!
- 安全 .... [f] Sicherheit
- 安全な .... sicher
- 案内所 .... [f] Auskunft (Auskunfte)
- 案内図 .... [m] Übersichtsplan (-pläne)
- 案内する............ führen
- 案内人（男）...... [m] Führer(-)
- 案内人（女）...... [f] Führerin(nen)
- 居合わせる .... [s] dabei sein
- 胃 .... [m] Magen(-)
- 胃炎 .... [f] Gastritis(Gastiden)
- 胃潰瘍 .... [n] Magengeschwür(e)
- いい .... gut
- （正しい）......... richtig
- （～の方が）..... lieber
- いいよ .... In Ordnung.
- いいかげんな ..... unzuverlässig
- いいえ .... nein
- 言う .... sagen
- 家（家屋）......... [n] Haus(Häuser)
- イカ .... [m] Tintenfisch(e)
- ～以下 .... unter ~³
- ～以外に............ außer~³
- 意外な .... unerwartet
- 医学 .... [f] Medizin
- 怒り .... [m]Ärger
- ～行き .... nach ~
- 行き先 .... [n] Ziel(e)
- 息 .... [m] Atem
- 息をする............ atmen
- 行きつけの飲み屋..[f] Stammkneipe(n)
- 行き止まり道 ..... [f] Sackgasse(n)
- 息抜き .... [f] Abwechslung(en)
- イギリス............ England
- イギリス人（男）[m] Engländer(-)
- イギリス人（女）..[f] Engländerin(nen)
- イギリスの......... englisch
- 生きる .... leben
- 行く（歩いて）....[s] gehen
- 行く（乗り物で）..[s] fahren
- いくつ（量）？..Wie viel?
- いくつ（年）？..Wie alt ?
- いくつか............ einige
- いくら？............ Was kostet das?
- 池 .... [m] Teich(e)
- 意見 .... [f] Meinung (en)
- ～以後 .... nach ~³
- ～以降 .... ab ~³
- 居心地がいい ..... gemütlich
- 居酒屋 .... [f] Kneipe(n)
- 勇ましい............ tapfer
- 石 .... [m] Stein(e)
- 意志 .... [m] Wille(n)
- 意識がない......... bewusstlos
- 維持する............ erhalten
- 医者（男）......... [m] Arzt(Ärzte)
- 医者（女）......... [f] Ärztin(nen)
- 遺失物取扱所 ..... [n] Fundbüro(s)
- 移住する（外国へ）[s] auswandern
- 移住する（外国から）..[s] einwandern
- ～以上 .... über~

以上です	Das wärs.
異常な	außergewöhnlich
イースター	Ostern
よいイースターを！	Frohe Ostern!
イスラエル	Israel
イスラエル人	[m] Israeli(s)
イスラエルの	israelisch
イスラム教	Islam
イスラム教徒	[m] Moslem(s)
遺跡	[f] Ruine(n)
移籍する	wechseln
いそがしい	beschäftigt
急ぐ	sich beeilen
急ぎの	eilig
急いで！	Beeile dich!
痛い	Es tut mir weh.
痛み	[m] Schmerz(en)
痛める	schädigen
イタッ！	Aua!
いたずら	[m] Streich(e)
炒める	an·braten
イタリア	Italien
イタリア語	Italienisch
イタリア人（男）	[m] Italiener(-)
イタリア人（女）	[f] Italienerin(nen)
イタリアの	italienisch
1	eins
1回	einmal
1階	[m] Erdgeschoss(-geschosse)
1月	[m] Januar, {Jan.}
1個	ein Stück
1週間	eine Woche
イチゴ	[f] Erdbeere(n)
一度も〜ない	niemals
1日	ein Tag
1日おき	jeden zweiten Tag
市場	[m] Markt (Märkte)
いちばん（最高）	der/die/das Beste
いちばんいい	am liebsten
1番目（の）	der/die/das erste
胃腸薬	[f] Magen- und Darmmedizin
一流の	erstklassig
いっしょに	zusammen
一生	ein ganzes Leben
一生の間	lebenslang
いっぱい	viel
一般的に	im allgemein
一方的な	einseitig
一方通行	[f] Einbahnstraße(n)
いつ	wann
いつから	von wann
いつから（過去から）	... seit wann
いつから（未来）	ab wann
いつまで	bis wann
いつ頃	wann ungefähr
いつか	irgendwann
5日（いつか）	der fünfte
いつでも	jederzeit
いつも	immer
いつも通り	wie immer
いつもなら	sonst
遺伝	[f] Vererbung(en)
遺伝する	erben
遺伝病	[f] Erbkrankheit(en)
糸	[m] Faden(Faden)
いとこ（男）	[m] Cousin(s)
いとこ（女）	[f] Cousine(n)
いなか（故郷）	[f] Heimat(en)
いなか（地方）	[n] Land
稲妻	[m] Blitz(e)
稲妻が光る	Es blitzt.
犬	[m] Hund(e)
稲	[f] Reispflanze(n)
命	[n] Leben
祈る	beten
祈り	[n] Gebet(e)
いびきをかく	schnarchen
意表を突く	überraschen
意表を突かれる	überrascht sein
イブニングドレス	[n] Abendkleid(er)
違法の	illegal
異母兄弟	[m] Halbbruder(-brüder)
異母姉妹	[f] Halbschwester(n)
今	jetzt
今さっき	gerade vorhin
今すぐ	gleich
今でも	immer noch
今に	bald
今まで	bis jetzt
居間	[n] Wohnzimmer(-)
未だに〜ない	noch nicht
意味	[f] Bedeutung(en)
意味する	bedeuten
意味のない	sinnlos
Eメール	[f] E-Mail(s)
妹	die jüngere Schwester
医務室	[m] Sanitätsraum(-räume)
イヤな（不快）	unangenehm
イヤな（ひどい）	scheußlich
嫌になる	keine Lust mehr haben
イヤリング	[n] Ohrring(e)
癒す	heilen
いよいよ	endlich
〜以来	seit ~³
要らない	unnötig
入り口	[m] Eingang(-gänge)
要る	nötig
居る	[s] da·sein
入れる	hinein·tun
入れる（飲物を）	ein·schenken
色（物）	[f] Farbe(n)
（顔、肌）	[m] Teint(s)
色合い	[m] Farbton(-töne)
何色？	Welche Farbe?
いろいろ	verschieden
祝い	[f] Gratulation(en)
祝う	feiern
印鑑	[m] Stempel(-)
印刷する	drucken
印象	[m] Eindruck(Eindrücke)
印象的な	eindrucksvoll
引退する	[s] zurück·treten
インターチェンジ	[n] Autobahnkreuz(e)
インターネット	[n] Internet
インド	Indien
インド人（男）	[m] Inder(-)
インド人（女）	[f] Inderin(nen)
インドの	indisch
インド教	Hinduismus
インドアスポーツ	[m] Hallensport
インドネシア	Indonesien
インドネシア語	indonesisch
インドネシア人（男）	[m] Indonesier(-)
インドネシア人（女）	[f]Indonesierin(nen)
インドネシアの	indonesisch
インフレ	[f] Inflation(en)
インフルエンザ	[f] Grippe(n)
飲料	[n] Getränk(e)
飲料水	[n] Trinkwasser
ウイスキー	[m] Whisky(s)
ウイルス	[m] Virus(Viren)
ウィンカー	[m] Blinker(-)
上に	oben
〜の上に（のっている）	auf ~³
〜の上に（上方に）	über ~³
〜の上へ（のっている）	auf ~
〜の上へ（上方に）	über ~
ウエイター	[m] Kellner(-)
ウエイトレス	[f] Kellnerin(nen)
迂回路	[f] Umleitung(en)
浮く（水に）	[s] schwimmen
浮く（空中に）	[s] schweben
受付	[f] Rezeption(en)
受け取る	erhalten
動く	sich bewegen
動くな！	Keine Bewegung!
動く（機械など）	laufen, funktionieren.
牛	[n] Rind(er) .
失う	verlieren
〜の後ろに	hinter ~³
〜の後ろへ	hinter ~
失せる	[s] verschwinden
薄い（厚さ）	dünn
薄い（色）	hell.
右折する	[s] rechts ab·giegen
うそ	[f] Lüge(n)
うその	falsch
うそをつく	lügen .
歌	[n] Lied(er)
歌う	singen
疑い	[m] Zweifel
疑う	zweifeln
打ち身	[f] Prellung(en)
宇宙	[m] Weltraum
宇宙人	[m] Außerirdischer(n)
宇宙飛行士	[m] Astronaut(en)
打つ	schlagen
撃つ	schießen
うつくしい	schön
とても美しい	wunderschön
写す	fotografieren
訴える	klagen
腕時計	[f] Armbanduhr(en)
乳母車	[m] Kinderwagen(-)
馬	[n] Pferd(e)
上手い	gut
旨い	lecker
うまくいく	[s] gelingen, klappen
うまくいったね！	Gut gelaufen!
生まれる	geboren sein
海	[f] See(n)
（大海）	[n] Meer(e)
海亀	[f] Meeresschildkröte(n)
海辺	[m] Strand(Strände)
産む（子供を）	auf die Welt bringen
（卵を）	Eier legen
裏	[f] Rückseite(n)
裏切る	verraten
裏切り者	[m] Verräter(-)
占う	wahrsagen
占い師（男）	[m] Wahrsager(-)
占い師（女）	[f] Wahrsagerin(nen)
うらむ	hassen
〜がうらやましい	neidisch auf ~
うらやむ	beneiden
売り子（男）	[m] Verkäufer(-)
売り子（女）	[f] Verkäuferin(nen)
売り切れ	Ausverkauft
売り出し	[n] Sonderangebot(e)
売る	verkaufen

うるさい	laut
うれしい	froh
〜を嬉しく思う	sich über ~ freuen
浮気する	[s] fremd·gehen
浮気	[m] Seitensprung(en)
浮気っぽい	untreu
噂	[n] Gerücht(e)
運	[n] Glück
運よく	zum Glück
運悪く	unglücklicherweise
運がない	kein Glück haben
うんざりする	die Schnauze voll haben
運転士（電車：男）	[m] Lockführer(-)
運転士（電車：女）	[f] Lockführerin(nen)
うんちをする	kacken
運賃	[m] Tarif(e)
運転する	[s]fahren
運転手（男）	[m] Fahrer(-)
運転手（女）	[f] Fahrerin(nen)
運転免許証	[m] Führerschein(e)
運動中（機械）	in Betrieb
運動する	Sport treiben
運命	[n] Schicksal(e)
絵	[n] Bild(er)
絵をかく	malen
エアコン	[f] Klimaanlage(n)
エアメイルで	per Luftpost
映画	[m] Film(e)
映画館	[n] Kino(s)
永久に	ewig
影響	[m] Einfluss(Einflüsse)
営業時間	[f] Öffnungszeit(en)
英語	Englisch
エイズ	AIDS
衛生	[f] Hygiene
衛生的な	hygienisch
エイプリルフール	[m] Aprilscherz(e)
英雄	[m] Held(en)
ええ、そうです。	Jawohl!
駅	[m] Bahnhof(-höfe)
エコノミークラス	[f] Touristenklasse(n)
エスカレーター	[f] Rolltreppe(n)
エネルギー	[f] Energie(n)
絵はがき	[f] Postkarte(n)
えび（小さな）	[f] Krabbe(n)
えび（大きな）	[f] Hummerkrabbe(n)
F１	Formel Eins
選び抜く	aus·wählen
選ぶ	wählen
襟	[m] Kragen(-)
得る	bekommen, kriegen
エレベーター	[m] Fahrstuhl(-stühle)
縁	[f] Beziehung(en)
宴会	[n] Fest(e)
延期する	den Termin verschieben
エンジニア（男）	[m] Ingenieur(e)
エンジニア（女）	[f] Ingenieurin(nen)
援助	[f] Unterstützung(en)
援助する	unterstützen
炎症	[f] Entzündung(en)
エンジン	[m] Motor(en)
演奏する	spielen
延長	[f] Verlängerung(en)
延長する	verlängern
エンピツ	[m] Bleistift(e) .
遠慮する	sich zurück·halten
遠慮します。Danke, aber ich möchte lieber nicht.	
おい	[m] Neffe(n)
おいしい	lecker
追い越す	überholen.
王様	[m] König(e)
追う	jagen .
横断歩道	[m] Zebrastreifen(-)
往復	hin- und zurück
終える	beenden
多い	viel
大きい	groß
大きさ	[f] Größe(n)
おおげさ	übertrieben
おおげさに言う	übertreiben
おっと！	Ups!, Hoppla!
おカネ	[n] Geld
お構いなく	Bitte, machen Sie keine Umstände.
起きる（起床、起立）	[s] auf·stehen
起きる（事柄）	[s] passieren
置く（ねかせて）	legen
置く（立てて）	stellen
奥様	[f] Frau(en)
送る	schicken
贈る	schenken
贈り物	[n] Geschenk(e)
遅れる	sich verspäten
遅れ	[f] Verspätung(en)
遅れてくる	zu spät kommen
ＯＫ！In Ordnung! Alles klar!	
起こす（人を）	auf·wecken
起こす（事柄を）	verursachen
おこなう	tun
行い	[f] Tat(en)
怒らせる	ärgern
怒っている（人に）	sauer (auf ~) sein
おじ	[m] Onkel(-)
惜しい！	Schade!
おじいちゃん	[m] Opa(s)
オシャレ	modisch
教える	lehren, bei bringen
おしっこ	[n] Pipi
おしゃべりする	schwätzen
押す	drücken
オスの	männlich
オーストラリア	Australien
オーストラリア人（男）	[m] Australier(-)
オーストラリア人（女）	[f] Australierin(nen)
オーストラリアの	australisch
オーストリア	Österreich
オーストリア人（男）	[m] Österreicher(-)
オーストリア人（女）	[f] Österreicherin(nen)
オーストリアの	österreichisch
遅い	spät
おそらく	wahrscheinlich
恐ろしい	furchtbar
落ちる（物が）	[s] fallen
落ちる（試験に）	[s] durch· fallen
おちんちん	[m] Penis(se)
夫	[m] Ehemann(-männer)
おつり	[n] Wechselgeld
音	[m] Ton(Töne)
弟	der jüngere Bruder
男	[m] Mann(Männer)
男の子	[m] Junge(n)
落とす	fallen lassen
落とし物	[pl] Fundsachen
訪れる	besuchen
おととい	vorgestern
おとな	der/die Erwachsene*
おとなしい	ruhig
オートバイ	[n] Motorrad(-räder)
踊り	[m] Tanz(Tänze)
踊り子（男）	[m] Tänzer(-)
踊り子（女）	[f] Tänzerin(nen)
踊る	tanzen
驚く（感心）	[s] erstaunen
驚く（びっくり）	[s] erschrecken
お腹が一杯	satt
お腹がすく	Hunger haben
同じ（イコール）	gleich
同じの (m)	derselbe
同じの (f)	dieselbe
同じの (n)	dasselbe
同じの (pl)	dieselben
おならする	furzen
おばさん	[f] Tante(n)
おばあちゃん	[f] Oma(s)
オバケ	[m] Geist(er)
おまえ	du
おまえたち	ihr
お守り	[n] Amulett(e)
おみくじ	[n] Orakelzettelchen(-)
おむつ	[f] Windel(n)
オムレツ	[n] Omelett(e)
おめでとう（〜を）Herzliche Glückwunsch (zu ~³)!	
重い	schwer
重さ	[n] Gewicht(e)
思う（〜を）	denken an ~
思う（感じる）	glauben
思う（意見）	meinen
〜を思い出す	sich an ~ erinnern
思い出させる	erinnern
思い出	[f] Erinnerung(en)
おもしろい（興味深い）interessant	
おもしろい（おかしい）komisch	
おもちゃ	[n] Spielzeug(e)
表	[f] Vorderseite(n)
親	[pl] Eltern
泳ぐ	[s] schwimmen
およそ〜	etwa, ungefähr, circa{ca.}
オランダ（国）	Die Niederlande
オランダ人（男）	[m] Niederländer(-)
オランダ人（女）	[f] Niederländerin(nen)
オランダ語	Niederländisch
オランダの	niederländisch
オランダ（地域）	Holland
織物	[n] Gewebe
降りる（下へ）	[s] hinunter·gehen
降りる（乗り物を）	[s] aus·steigen
折る	brechen
折りたたむ	falten
オリンピック	[f] Olympiade(n)
俺	ich
俺達	wir
オレンジ	[f] Orange(n)
オレンジジュース [m] Orangensaft(-säfte), {O-Saft}	
終わった	fertig
終わり	[n] Ende(n)
	[m] Schluss(Schlüsse)
終わりにする	Schluss machen
終わる	enden
恩	[f] Dankbarkeit(en)
音楽	[f] Musik
温泉	[n] Thermalbad(-bäder)
温度	[f] Temperatur(en)
女	[f] Frau(en)
女の子	[n] Mädchen(-)

か 行

蚊	[f] Schnake(n)

貝	[f] Muschel(n)
～階	~Stock
～回	~ mal
会員	[n] Mitglied(er)
会員証	[m] Mitgliedausweis(e)
外貨	ausländische Währung(en)
海外	[n] Ausland
海外へ	ins Ausland
海岸	[f] Küste(n)
会議	[f] Sitzung(en)
海軍	[f] Marine(n)
会計	[f] Kasse(n)
解決する	lösen
外交	[f] Diplomatie
外交官（男）	[m] Diplomat(en)
外交官（女）	[f] Diplomatin(nen)
外国	[n] Ausland
外国語	[f] Fremdsprache(n)
外国人（男）	[m] Ausländer(-)
外国人（女）	[f] Ausländerin(nen)
外国の	ausländisch
介護する	pflegen
介護士（男）	[m] Krankenpfleger(-)
介護士（女）	[f] Krankenpflegerin(nen)
会社	[f] Firma(Firmen)
会社員（男/女）	der/die Angestellte*
外出する	[s] fort·gehen
階段	[f] Treppe(n)
懐中電灯	[f] Taschenlampe(n)
街灯	[f] Laterne(n)
ガイド	[f] Führung(en)
ガイド（男）	[m] Führer(-)
ガイド（女）	[f] Führerin(nen)
ガイドブック	[m] Reiseführer(-)
回復	[f] Besserung(en)
回復する	gesund werden
解放する	befreien
開放する	öffnen
開放的な	offen
買い物する	ein·kaufen
潰瘍	[n] Geschwür(e)
改良する	verbessern
会話	[f] Konversation(en)
買う	kaufen
飼う	haben
返す（元の所へ）	zurück·geben
返す（返却）	ab·geben
帰ってくる	[s] zurück·kommen
カエル	[m] Frosch(Frösche)
変える（変化）	ändern
変える（交換）	wechseln
帰る（歩いて）	[s] zurück·gehen
家へ帰る	[s] nach Hause gehen
帰る（乗り物で）	[s] zurück·fahren
帰る（飛行機で）	[s] zurück·fliegen
顔	[n] Gesicht(er)
香り	[m] Duft
いい香りがする	duften
～の香りがする	Es duftet nach ~³
画家（男）	[m] Maler(-)
画家（女）	[f] Malerin(nen)
価格	[m] Preis(e)
科学	[f] Wissenschaft(en)
科学者（男）	[m] Wissenschaftler(-)
化学	[f] Chemie
化学者（男）	[m] Chemiker(-)
化学者（女）	[f] Chemikerin(nen)
科学者（女）	[f] Wissenschaftlerin(nen)
化学の	chemisch
化学薬品	[pl] Chemikalien
かかと（足）	[f] Ferse(n)
鏡	[m] Spiegel(-)
カギ	[m] Schlüssel(-)
カギをあける	auf·schließen
カギをかける	ab·schließen
かきまぜる	mischen
書留	[n] Einschreiben
書く	schreiben
掻く	sich kratzen
家具	[n] Möbel(-)
確実な	zuverlässig
確信する	überzeugt sein
隠す（物を）	verstecken
隠す（物事を）	verheimlichen
学生（男）	[m] Student(en)
学生（女）	[f] Studentin(nen)
楽譜	[pl] Noten
学部	[m] Studiengang(-gänge)
革命	[f] Revolution(en)
隠れる	sich verstecken
影	[m] Schatten(-)
掛ける	auf·hängen
賭ける	wetten
賭けごと	[n] Spiel(e)
過去	[f] Vergangenheit(en)
カゴ	[m] Korb(Körbe)
傘	[m] Schirm(e)
火山	[m] Vulkan(e)
菓子	[f] Süßigkeit(en)
歌詞	[m] Text(e)
家事	[m] Haushalt(e)
火事	[n] Feuer
賢い	klug
貸し出す	aus·leihen
カジノ	[n] Casino
貸家（一軒家）	[n] Miethaus(-häuser)
貸家（住居）	[f] Mietwohnung(en)
歌手（男）	[m] Sänger(-)
歌手（女）	[f] Sängerin(nen)
果樹園	[m] Obstgarten(-gärten)
貸す	leihen
貸す（家や車を）	vermieten
数	[f] Zahl(en)
ガス	[n] Gas
風	[m] Wind
風邪	[f] Erkältung(en)
風邪をひく	sich erkälten
風邪薬	[n] Erkältungsmittel
家政婦	[f] Haushälterin(nen)
カセットテープ	[f] Kassette(n)
数える	zahlen
家族	[f] Familie(n)
ガソリン	[n] Benzin
ガソリンスタンド	[f] Tankstelle(n)
ガソリンを入れる	tanken
肩	[f] Schulter(n)
硬い	hart
形	[f] Form(en)
かたづける	auf·räumen
片道	ein einfacher Weg
片道切符	eine einfache Fahrkarte
価値がある	wertvoll
勝つ	gewinnen, siegen
学科	[n] Studienfach(-fächer)
楽器	[n] Musikinstrument(e)
学校	[f] Schule(n)
合唱	[m] Chor(Chöre)
勝手な	egoistisch
活発な	aktiv
仮定する	an·nehmen
家庭	[f] Familie(n)
家庭的	häuslich
カーテン	[m] Vorhang(-hänge)
カード	[f] Karte(n)
カトリック教	[m] Katholizismus
カトリック信者	[f] Katholik(en)
カトリックの	katholisch
悲しい	traurig
カナダ	Kanada
カナダ人（男）	[m] Kanadier(-)
カナダ人（女）	[f] Kanadierin(nen)
カナダの	kanadisch
必ず	bestimmt
カニ	[m] Krebs(e)
金持ち	reich
可能な	möglich
可能性	[f] Möglichkeit(en)
彼女	sie
カバン	[f] Tasche(n)
（手提げ）	[f] Tragtasche(n)
（肩掛け）	[f] Hängetasche(n)
株式会社	[f] Aktiengesellschaft(en)
壁	[f] Mauer(n)
壁（部屋の）	[f] Wand(Wände)
カボチャ	[m] Kürbis(se)
我慢（辛抱）	[f] Geduld
我慢する	Geduld haben
我慢する（耐える）	aus·halten
紙	[n] Papier(e)
紙くず箱	[m] Papierkorb(-körbe)
髪	[n] Haar(e)
髪をとかす	kämmen
神	[m] Gott
カミソリ	[n] Rasiermesser(-)
噛みつく	beißen
噛む	kauen
かむ（鼻を）	sich³ die Nase putzen
ガム	[m] Kaugummi(s)
亀	[f] Schildkröte(n)
瓶（カメ）	[m] Krug(Krüge)
カメラ	[m] Photoapparat(e)
カメラマン（男）	[m] Photograf(en)
カメラマン（女）	[f] Photografin(nen)
鴨	[f] Wildente(n)
粥	[m] Reisbrei(e)
かゆい	Es juckt.
火曜日	[m] Dienstag(e), {Di.}
～から	von ~³
～から（地名）	aus ~³
～から（時間：過去から）	seit ~³
～から（時間：未来）	ab ~³
～から（材料）	aus ~³
カラーフィルム	[m] Farbfilm(e)
辛い	scharf
ガラス	[n] Glas(Gläser)
体	[m] Körper(-)
借りる	leihen
借りる（家、車など）	mieten
軽い	leicht
彼	er
彼ら	sie
カレンダー	[m] Kalender(-)
皮（果物など）	[f] Schale(n)
皮をむく	schälen
革	[n] Leder(-)
川	[m] Fluss(Flüsse)
小さな川	[m] Bach(Bäche)
かわいい	süß, niedlich
かわいそう	arm

乾いた	trocken
乾かす	trocknen
乾かす（髪を）	fönen
乾く	trocknen
変わる	sich ändern
代わる	wechseln
変わり者	eigenartig
ガン	[m] Krebs(e)
肝炎	[f] Hepatitis
眼科（男）	[m] Augenarzt(-ärzte)
眼科（女）	[f] Augenärztin(nen)
感じる	empfinden
〜に関する	bezüglich auf 〜
考える	denken
考える（じっくり）	überlegen
感覚（センス）	[m] Sinn
感覚（感触）	[n] Gefühl(e)
間隔	[m] Abstand(Abstände)
観客	[m] Zuschauer(-)
観客（コンサートなど）	[n] Publikum
環境	[f] Umwelt(en)
環境汚染	[f] Umweltverschmutzung
環境にやさしい	umweltfreundlich
環境破壊	[f] Umweltzerstörung
環境保護	[m] Umweltschutz
環境問題	[pl] Umweltprobleme
頑固	stur
缶、缶づめ	[f] Dose(n)
缶切り	[m] Dosenöffner(-)
関係	[f] Beziehung(en)
関係（縁故）	[pl] Beziehungen
関係（男女の）	[n] Verhältnis(se)
観光	[m] Tourismus
観光客	[m] Tourist(en)
韓国	Südkorea
韓国人（男）	[m] Koreaner(-)
韓国人（女）	[f] Koreanerin(nen)
韓国語	Koreanisch
韓国の	koreanisch
看護士	[m] Krankenpfleger(-)
看護婦	[f] Krankenschwester(n)
〜を感謝する	für 〜 danken
患者（男）	[m] Patient(en)
患者（女）	[f] Patientin(nen)
感情	[n] Gefühl(e)
勘定する（計算）	rechnen
感触	[n] Gefühl(e)
感じる	fühlen, empfinden
感心する	bewundern
〜に関心を持つ	sich für 〜 interessieren
感ずく	ahnen
観賞、観戦する	zu·schauen
関節	[n] Gelenk(e)
肝臓	[f] Leber(n)
肝臓炎	[f] Leberentzündung(en)
肝臓ガン	[m] Leberkrebs(e)
感想	[m] Eindruck(-drücke)
乾燥した	trocken
寛大な	großzügig
簡単	leicht
監督（チーム）	[m] Trainer(-)
監督（映画：男）	[m] Regisseur(e)
監督（映画：女）	[f] Regisseurin(nen)
乾杯する	an·stoßen
がんばる（努力）	sich bemühen
がんばる（忍耐）	durch·halten
がんばってね！	Toi Toi Toi!
看病する	pflegen
看板	[n] Schild(er)
缶ビール	[n] Dosenbier

カンボジア	Kambodscha
カンボジア人（男）	[m] Kambodschaner(-)
カンボジア人（女）	[f] Kambodschanerin(nen)
カンボジアの	kambodschanisch
木	[m] Baum(Baume)
気が合う	gut verstehen
気が大きい	mutig
気が重い	widerwillig
気が変わりやすい	launisch
気が狂う	verrückt werden
気が小さい	ängstlich
気が遠くなる	ohnmächtig werden
気が楽になる	erleichtert
気に入る	sich³ gefallen
気にしない	sich³ keine Sorge machen
〜が気になる	sich³ Sorgen machen
気を失う	ohnmächtig werden
〜を気をつける	auf 〜 auf·passen
ギア	[m] Gang(Gänge)
黄色	gelb
消える（姿が）	verschwinden
消える（火、明かりなど）	[s] aus·gehen
記憶	[n] Gedächtnis(se)
気温	[f] Temperatur(en)
機械	[f] Maschine(n)
機会	[f] Gelegenheit(en)
着替える	sich um·ziehen
着替室	[f] Umkleidekabine(n)
期間	[m] Termin(e),
器官	[n] Organ(e)
気管	[f] Luftröhre(n)
気管支	[pl] Bronchien
気管支炎	[f] Bronchitis
聞く	hören
（じっくり）聞く	zu·hören
効く	wirken
期限	[f] Frist(en)
機嫌	[f] Laune(n)
機嫌がいい	gut drauf sein
機嫌が悪い	schlecht drauf sein
機嫌を悪くする	die Laune verderben
気候	[n] Klima(s)
帰国する	[s] zurück·kehren
既婚	verheiratet
期日	[f] Frist(en)
技術	[f] Technik(en)
技術士（男）	[m] Techniker(-)
技術士（女）	[f] Technikerin(nen)
キス	[m] Kuss(Küsse)
キスする	küssen
傷	[f] Wunde(n)
傷つける	verletzen
切り傷	[f] Schnittwunde(n)
すり傷	[f] Schramme(n)
かき傷	[f] Schürfwunde(n)
キズ（写真など）	[m] Kratzer(-)
規則	[f] Regel(n)
規制	[f] Einschränkung(en)
犠牲	[n] Opfer(-)
寄生虫	[m] Parasit(en)
奇跡	[n] Wunder(-)
奇跡的な	wunderbar
季節	[f] Jahreszeit(en)
着せる	an·ziehen
貴族	[m] Adel
北	Nord, Norden
北の	nördlich
期待する（希望）	erwarten
〜を期待する（予期、予定）	mit 〜³ rechnen
きたない	schmutzig, dreckig

基地	[m] Militärstützpunkt(e)
貴重品	[pl] Wertsache
きつい（窮屈）	eng
喫煙する	rauchen
喫煙禁止	Rauchverbot
喫煙者	[m] Raucher(-)
喫茶店	[n] Café(s)
切手	[f] Briefmarke(n)
記入する	aus·füllen
絹	[f] Seide(n)
記念	[n] Andenken
昨日	gestern
きびしい	streng
寄付	[f] Spende(n)
寄付する	spenden
気分	[f] Stimmung(en)
気分がいい	sich gut fühlen
気分が悪い	sich schlecht fühlen
希望	[f] Hoffnung(en)
希望する	hoffen
希望のない	hoffnungslos
君	du
君たち	ihr
奇妙な	merkwürdig
義務	[f] Pflicht(en)
義務教育	[f] Schulpflicht
決める	entscheiden
気持ち	[n] Gefühl(e)
疑問（質問）	[f] Frage(n)
疑問（疑い）	[m] Verdacht
客（来客、飲食店の）	[m] Gast(Gäste)
客（お店の）	[m] Kunde(n)
キャッシュカード	[f] Cash-Karte(n)
キャンセルする	stornieren
キャンセル待ち	[f] Warteliste(n)
キャンプする	zelten
キャンプ場	[m] Zeltplatz(-plätze)
9	neun
休暇（学校など）	[pl] Ferien
休暇（会社）	[m] Urlaub(e)
救急車	[m] Krankenwagen(-)
休憩	[f] Pause(n)
急行列車	[m] Schnellzug(-züge)
旧市街	[f] Altstadt(-städte)
休日	[m] Feiertag(e)
救助する	retten
牛肉	[n] Rindfleisch
牛乳	[f] Milch
急な（緊急）	dringend
急な（突然）	plötzlich
9番目（の〜）	der/die/das neunte (〜)
きゅうり	[f] Gurke(n)
給料	[n] Gehalt(Gehälter)
今日	heute
気の毒です	Es tut mir leid.
気の毒な	arm, bedauerlich
気の毒に思う	bedauern
教育	[f] Ausbildung(en)
教育（しつけ）	[f] Erziehung(en)
教育学	[f] Pädagogik
教育者（男）	[m] Pädagoge(n)
教育者（女）	[m] Pädagogin(nen)
行儀がいい	sich gut benehmen
行儀が悪い	sich schlecht benehmen
教会	[f] Kirche(n)
教科書	[n] Lehrbuch(-bücher)
競技場	[n] Stadion(Stadien)
狂犬病	[f] Tollwut
共産主義	[m] Kommunismus
共産主義の	kommunistisch

教師（男）	[m] Lehrer(-)
教師（女）	[f] Lehrerin(nen)
行事	[f] Veranstaltung(en)
教授（男）	[m] Professor(en)
教授（女）	[f] Professorin(nen)
競争	[f] Konkurrenz
兄弟	[m] Bruder(Brüder)
郷土料理	lokales Essen
興味	[n] Interesse(n)
～に興味がある	sich für ~ interessieren
～に興味を持つ	ein Interesse an ~³ haben
協力する	mit･helfen
許可	[f] Erlaubnis(se)
許可する	erlauben
去年	letztes Jahr
嫌い	nicht mögen
霧	[m] Nebel
キリスト教	[n] Christentum
キリスト教徒	[m] Christ(en)
キリスト教の	christlich
義理の兄、弟	[m] Schwager(Schwäger)
義理の姉、妹	[f] Schwägerin(nen)
義理の親	[pl] Schwiegereltern
義理の父	[m] Schwiegervater(-väter)
義理の母	[f] Schwiegermutter(-mütter)
切る	schneiden
着る	an･ziehen
きれいな（美しい）	schön
きれいな（純粋）	rein
きれいな（清潔）	sauber
キログラム	[n] Kilogramm(e)
キロメートル	[m] Kilometer(-)
金	[n] Gold
純金	reines Gold
銀	[n] Silber
禁煙する	das Rauchen auf･hören
禁煙席	[m] Nichtraucherplatz(-plätze)
近視	kurzsichtig
緊急事態	[m] Notstand(-stände)
緊急の	dringend
緊急の場合	[m] Notfall(-fälle)
銀行	[f] Bank(en)
銀行員（男）	[f]Bankkaufmann(Bankkaufleute)
銀行員（女）	[f] Bankkauffrau(en)
禁止	[n] Verbot(e)
近所の	in der Nähe von ~³
近所の人（男）	[m] Nachbar(-)
近所の人（女）	[f] Nachbarin(nen)
近代的な	modern
緊張する	gespannt sein
筋肉	[m] Muskel(n)
勤勉な	fleißig
勤務	[m] Dienst(e)
勤務時間	[f] Dienstzeit(en)
勤務地	[m] Arbeitsplatz(-plätze)
金曜日	[m] Freitag(e), {Fr.}
区	[m] Stadtbezirk(e)
空気	[f] Luft
空気を入れ替える	lüften
空港	[m] Flughafen(-häfen)
空港へ	zum Flughafen
偶然	[m] Zufall(Zufälle)
偶然に	zufällig
9月	[m] September, {Sep.}
クギ	[m] Nagel(n)
草	[n] Gras(Gräser)
くさい	Es stinkt.
腐った	faul
腐る	schlecht werden
串	[m] Spieß(e)
櫛	[m] Kamm(Kämme)
苦情を言う	sich beschweren
くすぐったい	Es kitzelt.
薬	[f] Arznei(en)
薬屋	[f] Apotheke(n)
くすり指	[m] Ringfinger(-)
糞	[f] Scheiße
クソッ！	Scheiße! Mist!
くだもの	[n] Obst
くだらない	blöd
くだらないこと	[m] Blödsinn
口	[m] Mund(Münder)
口が悪い	eine böse Zunge
くちびる	[f] Lippe(n)
口紅	[m] Lippenstift(e)
靴	[pl] Schuhe
靴屋	[n] Schuhgeschäft(e)
苦痛	[f] Qual(en)
くつした	[f] Socke(n)
くっつく	kleben
口説く	überreden
グッドラック！	Viel Glück!
国	[n] Land(Länder)
首	[m] Hals(Hälse)
首にする	feuern
クモ	[f] Spinne(n)
雲	[f] Wölke(n)
くもり	bewolkt
クーラー	[f] Klimaanlage(n)
暗い	dunkel
クラス	[f] Klasse(n)
クラスメート	[m] Klassenkamerad(en)
クラシック	[f] Klassik
クラシックの	klassisch
比べる	vergleichen
グラム	[n] Gramm(e)
くり返す	wiederholen
くり返して！	Noch mal, bitte.
クリスマス	die Weihnachten
クリスマスイヴ	der Heilige Abend
クリーニング	[f] Reinigung(en)
来る	[s] kommen
苦しい（身体）	Es tut mir weh.
苦しい（精神）	quälend
苦しめる	quälen
クレジットカード	[f] Kreditkarte(n)
黒い	schwarz
苦労	[f] Mühe(n)
加える	addieren
くわしい	sich aus･kennen
薰製製品	[f] Räucherwaren
薰製の	geräuchert
軍隊	[n] Militär
軍人	[m] Soldat(en)
毛	[n] Haar(e)
経営する	leiten
経営学	[f] Betriebswirtschaftslehre
計画	[m] Plan(Pläne)
計画する	planen
経験	[f] Erfahrung(en)
経験する	erfahren, erleben
経済	[f] Wirtschaft(en)
経済学	[f] Volkswirtschaftslehre
経済危機	[f] Wirtschaftskrise(n)
経済成長	[n] Wirtschaftswachstum
警察	[f] Polizei(en)
警察官	[m] Polizist(en)
警察署	[n] Polizeirevier(e)
計算する	rechnen
芸術	[f] Kunst(Künste)
芸術家（男）	[m] Künstler(-)
芸術家（女）	[f] Künstlerin(nen)
芸術学	[f] Kunstwissenschaft
芸術作品	[n] Kunstwerk(e)
芸術作品	[m] Kunstgegenstand(-stände)
携帯電話	[n] Handy(s)
競馬	[n] Pferderennen(-)
経費	[pl] Kosten
軽蔑	[f] Verachtung
軽べつする	verachten
刑務所	[n] Gefängnis(se)
（俗語）	[m] Knast
契約	[m] Vertrag(Verträge)
契約する	einen Vertrag abschließen
契約書	[m] Vertrag(Verträge)
～経由	über ~
怪我	[f] Verletzung(en)
怪我させる	verletzen
怪我する	sich verletzen
怪我人	ein Verletzter
外科	[f] Chirurgie
外科医（男）	[m] Chirurg(en)
外科医（女）	[f] Chirurgin(nen)
毛皮	[m] Pelz(e)
ケーキ	[m] Kuchen(-)
劇	[n] Theater(-)
劇場	[n] Theater(-)
今朝	heute morgen
下剤	[n] Abführmittel(-)
景色	[f] Landschaft(en)
消しゴム	[m] Radiergummi(s)
消しゴムで消す	weg･radieren
化粧する	sich schminken
化粧品	[m] Kosmetikartikel(-)
消す（明かり）	aus･machen
消す（火、データ）	löschen
消す（電気製品）	ab･schalten
ゲストハウス	[n] Gasthaus(-häuser)
けち	geizig
血圧	[m] Blutdruck(-drücke)
血液	[n] Blut(e)
血液型	[f] Blutgruppe(n)
結果	[n] Ergebnis(se)
結核	[f] Tuberkulose(n)
血管	[n] Blutgefäß
月給	[n] Monatsgehalt
月経	[f] Blutung(en), meine Tage
結婚する	heiraten
結婚記念日	[m] Hochzeitstag(e)
結婚式	[f] Hochzeit(e)
結婚指輪	[m] Ehering(e)
決して～ない	niemals
欠席	[f] Abwesenheit
欠点	[m] Nachteil(e)
ゲップする	rülpsen
月賦	die monatliche Ratenzahlung
月曜日	[m] Montag(e) {Mon.}
解熱剤	[n] Fiebermittel
ゲーム	[n] Spiel(e)
けむり	[m] Rauch
下痢	[m] Durchfall
下痢どめ	[f] Durchfallmedizin
ける	kicken
原因	[f] Ursache(n)
原因となる	verursachen
ケンカする	streiten
見学	[f] Besichtigung(en)
見学する	besichtigen
元気な	munter

研究する	forschen
研究者	[m] Forscher
研究所	[n] Institut(e)
健康[f]	[f] Gesundheit
健康保険	[f] Krankenkasse(n)
健康な	gesund
現在	[f] Gegenwart
現在は	zur Zeit
検査（調査）	[f] Untersuchung(en)
検査（調査）	untersuchen
検査（テスト）	[f] Prüfung(en)
検査する	prüfen
検査済みの	geprüft
原産地	[n] Ursprungsland(-länder)
現実	[f] Realität(en)
現実主義の	realistisch
研修	[n] Praktikum(Praktika)
研修生（男）	[m] Praktikant(en)
研修生（女）	[f] Praktikantin(nen)
原子力	[f] Atomkraft
原子爆弾	[f] Atombombe(n)
原子力発電所	[n] Atomkraftwerk(e)
現像する	entwickeln
建築	[f] Architektur(en)
現地の	lokal
憲法	[f] Verfassung(en)
倹約的な	sparsam
権利	[n] Recht
5	fünf
濃い	dunkel
恋	[f] Liebe
恋しい	vermissen
〜に恋している	in ~ verliebt sein
コイン	[f] Münze(n)
コインランドリー	[m] Waschsalon(s)
コインロッカー	[n] Schließfach(-fächer)
好意的な	freundlich
好意を抱く	gern mögen
工員（男）	[m] Techniker(-)
工員（女）	[f] Technikerin(nen)
幸運	[n] Glück
幸運にも	zum Glück
公園	[m] Park(s)
公演	[f] Aufführung(en)
効果	[f] Wirkung(en)
効果のある	wirksam
効果のない	wirkungslos
豪華な	nobel
硬貨	[f] Munze(n)
後悔する	bereuen
公害	[f] Umweltverschmutzung
郊外	[m] Vorort(e)
合格する	bestehen
交換する	aus·tauschen, um·tauschen
睾丸	[m] Hoden(-)
睾丸炎	[f] Hodenentzündung
好奇心ある	neugierig
抗議	[m] Protest(e)
抗議する	protestieren
工業	[f] Industrie[n]
工業国	[m] Industriestaat(en)
工業の	industriell
航空	[f] Luftfahrt
航空券	[n] Flugticket(s)
航空会社	[f] Fluggesellschaft(en)
航空便で	per Luftpost
高血圧	hoher Blutdruck
口語	[f] Umgangssprache(n)
高校	[f] Oberschule(n)
広告	[f] Anzeige(n)
口座	[n] Konto(Konten)
口座番号	[f] Kontonummer(n)
交差点	[f] Kreuzung(en)
工事	[f] Bauarbeit(en)
工事現場	[f] Baustelle(n)
公衆電話ボックス	[f] Telefonzelle(n)
〜について交渉する	über~ verhandeln
工場	[f] Fabrik(en)
香辛料	[n] Gewürz(e)
香水	[n] Parfüm(s)
洪水	[n] Hochwasser
高層ビル	[n] Hochhaus(-häuser)
高速道路	[f] Autobahn(en)
紅茶	[m] Tee(s)
交通	[m] Verkehr
交通事故	[m] Verkehrsunfall(-unfälle)
強盗（押し込み）	[m] Einbrecher(-)
強盗（道端などで）	[m] Räuber(-)
幸福	[n] Glück
幸福な	glücklich
興奮する	sich auf·regen
そんなに興奮するなよ！	Reg dich nicht so auf!
公平	[f] Gerechtigkeit
公平な	fair, gerecht
公務員（男/女）	der/die Beamte*
後輪	[n] Hinterrad(-räder)
小売り業	[m] Kleinhändler
肛門	[m] After(-)
交流	[m] Austausch
声	[f] Stimme(n)
〜を越えて	über ~
氷	[n] Eis
こおる	[s] frieren
凍った	gefroren
誤解	[n] Mißverständnis(-nisse)
誤解する	mißverstehen
コカコーラ	[f] Cola(s)
5月	[m] Mai
小切手	[m] Scheck(s)
ゴキブリ	[f] Kakerlake(en)
故郷	[f] Heimat
国際的な	international
国際電話	[n] Auslandsgespräch(e)
国籍	[f] Nationalität(en)
国民	[n] Volk(Völker)
国立の	staatlich
国立公園	[m] Nationalpark(s)
こげた	verbrannt
ここ	hier, da
小声で	leise
ここから	von hier aus
午後	[m] Nachmittag
午後の、に	nachmittags
9日（ここのか）	der neunte
心	[n] Herz(en)
心から	herzlich
心の底から	von ganzem Herz
腰	[f] Hüfte(n)
乞食	[m] Bettler(-)
コショウ	[m] Pfeffer(-)
故障	[m] Defekt(e), [f] Störung(en)
故障（車の）	[f] Panne(n)
個人的な、に	privat, persönlich
個性的	originell
小銭	[n] Kleingeld
午前	[m] Vormittag(e)
午前に、の	vormittags
答え（返事、返答）	[f] Antwort(en)
答える	antworten
答え（解答）	[f] Lösung(en)
国歌	[f] Nationalhymne(n)
国旗	[f] Nationalflagge(n)
国境	[f] Staatsgrenze(n)
コック（男）	[m] Koch(Köche)
コック（女）	[f] Köchin(nen)
骨折	[m] Knochenbruch(-brüche)
骨折する（〜を）	sich³ ~ brechen
小包	[n] Päckchen(-)
コップ	[n] Glas(Gläser)
孤独な	einsam
今年	dieses Jahr
言葉（語）	[n] Wort(Wörter)
こども	[n] Kind(er)
こどもの頃	[f] Kindheit
ことわざ	[n] Sprichwort(-wörter)
断る（拒絶）	ab·lehnen
断る（招待や約束を）	ab·sagen
この（m）	dieser
この（f）	diese
この（n）	dieses
このくらい	ungefähr so viel
この頃	heutzutage
このように	so
ごはん	[n] Essen
5番目	der/die/das fünfte
コピー	[f] Kopie(n)
コピーする	kopieren
困る	Schwierigkeiten haben
ゴミ	[m] Müll, [m] Abfall(-fälle)
ゴミ箱	[m] Müllkasten(-kästen)
小麦粉	[n] Weizenmehl
米	[m] Reis
ごめんなさい	Entschuldigung!!
小指（手）	der kleine Finger(-)
小指（足）	die kleine Zehe(n)
これ	dies
これより後	danach
これより以前	davor
これから先	weiter
これから	ab jetzt
コレラ	[f] Cholera
殺し	[m] Mord(e)
殺す	töten, um·bringen
転ぶ	[s] hin·fallen
恐い	schrecklich
怖がる（〜に）	Angst vor ~ haben
壊す	kaputt machen
壊す（建物を）	ab·reisen
壊す（破壊）	zerstören
壊れている	kaputt
壊れる	[s] kaputt·gehen
今回	diesmal
今月	dieser Monat
混雑している	überfüllt
コンサート	[n] Konzert(e)
今週	diese Woche
今週末	dieses Wochenende
コンセント	[f] Steckdose(n)
コンタクトレンズ	[pl] Kontaktlinsen
今度（今回）	diesmal
（次回）	nächstes Mal
コンドーム	[n] Kondom(e)
今晩	heute Abend
コンピューター	[m] Computer(-)
婚約	[f] Verlobung(en)
婚約者	der/die Verlobte*
〜と婚約する	sich mit ~ verloben
婚約指輪	[m] Verlobungsring(e)

さ 行

さぁ	na
さぁ（困った）	tja
さぁね	Keine Ahnung.
最悪	schlimmste
再会する	wieder·sehen
差	[m] Unterschied(e)
最近	neuerdings
最近の～	～ von heute
細菌	[f] Bakterie(n)
サイクリング	[f] Radtour(en)
最後	[n] Ende(n), [m] Schluss(Schlüsse)
最後に	zum Schluss
最後（の～）	der/die/das letzte (~)
最後は	am Ende
最後まで	bis zum Schluss
最高（高さ）	am höchsten,
最高の～	der/die/das höchste ~
最高（一番）	am besten
最高の～	der/die/das beste ~
サイコー！	Prima! Klasse!
サイコロ	[m] Würfel(-)
さいころを振る	würfeln
祭日	[m] Feiertag(e)
最初	[m] Anfang(Anfänge), [m] Beginn
最初（の～）	der/die/das erste (~)
最初は	am Anfang
最小	[n] Minimum(Minima)
最小の（～）	der/die/das kleinste (~)
最新の（～）	der/die/das neueste (~)
サイズ	[f] Größe(n)
サイダー	[f] Limo(s)
最大	[n] Maximum(Maxima)
最大の（～）	der/die/das größte (~)
再度	noch einmal
才能	[n] Talent(e), [f] Begabung(en)
才能ある	begabt
再発行	neu aus·stellen
裁判	[f] Gerichtsverhandlung(en)
裁判官	[m] Richter(-)
裁判所	[m] Gerichtshof(-höfe)
サイフ	[m] Geldbeutel(-)
裁縫道具	[n] Nähzeug
材料	[n] Material(ein)
材料（料理の）	[pl] Zutaten
サイン（署名）	[f] Unterschrift(en)
サインする	unterschreiben
サイン（合図）	[n] Zeichen(-)
サイン（有名人の）	[n] Autogramm(e)
サウナ	[f] Sauna(s)
坂	[f] Steigung(en)
下り坂の	bergab
上り坂の	bergauf
探す	suchen
魚	[m] Fisch(e)
下がる	[s] sinken
柵	[m] Zaun(Zäune)
咲く	blühen
裂く	zerreißen
裂けるように	zerreißend
昨晩	gestern Abend
サクラ	[m] Kirschbaum(-bäume)
さくらんぼ	[f] Kirsche(n)
酒（総称）	die alkoholischen Getränke
酒飲み	[m] Säufer(-)
酒をがぶがぶ飲む	.saufen
叫び	[m] Schrei(e)
叫ぶ	schreien
避ける	aus dem Weg gehen
差出人	[m] Absender(-)
刺身	[m] der rohe Fisch(e)
指す	zeigen
刺す	stechen
射す	scheinen
座席	[m] Sitzplatz(-plätze)
座席番号	[f] Sitznummer(n)
～させる	lassen
誘い（誘惑）	[f] Verführung
誘う	verführen
撮影する（写真）	fotografieren
撮影禁止	Fotografieren verboten.
撮影する（ビデオなど）	auf·nehmen
作家（男）	[m] Schriftsteller(-)
作家（女）	[f] Schriftstellerin(nen)
さっき	vorhin
作曲する	komponieren
作曲家（男）	[m] Komponist(en)
作曲家（女）	[f] Komponistin(nen)
雑誌	[f] Zeitschrift(en)
左折する	links ab·biegen
さて	nun
砂糖	[m] Zucker
砂漠	[f] Wüste(n)
さびしい	einsam
サービス	[m] Dienst(e)
	[f] Bedienung(en)
サービス料	[n] Bedienungsgeld
サーフィン	[n] Surfen
サマータイム	[f] Sommerzeit(en)
様々な	verschieden
妨げ	[n] Hindernis(se)
妨げる	verhindern
覚ます（目を）	[s] auf·wachen
目を覚ませ！	Wach auf!
覚ましている	wach
冷ます	ab·kühlen
寒い	kalt
ものすごく寒い	.arschkalt
寒さに震える	.frieren
サメ	[m] Hai(e)
覚める（目）	[s]auf·wachen
覚める（酔いが）	nüchtern werden
冷める	kalt werden
さもないと	sonst
皿	[m] Teller(-)
大皿、平皿	[f] Platte(n)
再来月	der übernächste Monat
再来週	die übernächste Woche
再来年	das übernächste Jahr
サラダ	[m] Salat(e)
さらに（再度）	noch einmal
さらに（その上）	außerdem
サラミ	[m] Salami
サラリー	[n] Gehalt(Gehälter)
サラリーマン	der Angestellte*
猿	[m] Affe(n)
去る（出かける）	[s]fort·gehen
去る（人や物から）	verlassen
騒がしい	laut
騒ぐ	Lärm machen
触る（触れる）	berühren
触らないでください！	.Nicht berühren!
触る（手にとって）	an·fassen
3	drei
三階	der zweite Stock
参加する	teil·nehmen
参加者	[m] Teilnehmer(-)
三角	[n] Dreieck(e)
三角形の	dreieckig
山岳	[n] Gebirge(-)
3月	[m] März
残業	[f] Überstunde(n)
酸欠	[m] Sauerstoffmangel
サンゴ	[f] Koralle(n)
珊瑚礁	[n] Korallenriff(e)
珊瑚島	[f] Koralleninsel(n)
算数	[f] Mathematik
サンダル	[f] Sandale(n)
サンドイッチ	[n] Sandwich(es)
（ドイツ風）	[n] Vesper(n)
残念な	schade
残念ですが	leider
残念に思う	bedauern
残念です	Es tut mir leid!
なんて残念な！	Wie schade!
散髪する	sich³ die Haare schneiden lassen
散髪屋	[m] Friseur(e)
3番目（の～）	der/dir/das dritte (~)
産婦人科	[f] Frauenarzt(-ärzte)
散歩する	[s]spazieren gehen
市	[f] Stadt(Städte)
詩	[n] Gedicht(e)
詩人	[m] Dichter(-)
死	[m] Tod
試合	[n] Spiel(e)
仕上がった	fertig
仕上げる	fertig·machen
幸	[n] Glück
幸せな	glücklich
幸せ者	[m] Glückspilz(e)
思案する	nach·denken
飼育（家畜を）	[f] Zucht
飼育する	züchten
飼育者	[m] Züchter(-)
強いる	zwingen
寺院	[m] buddhistischer
塩	[n] Salz(-)
しおからい	salzig
仕送り	eine finanzielle Unterstützung(en)
鹿	[n] Reh(e)
鹿（オス）	[m] Hirsch(e)
鹿（メス）	[f] Hirschkuh(-kühe)
市外局番	[f] Vorwahl(en)
資格	[f] Qualifikation(en)
四角	[n] Viereck(e)
四角い	viereckig
死角	ein toter Winkel
しかし	aber
仕方ないね	Nichts zu machen.
4月	[m] April {Apr.}
しかも	außerdem, dazu noch
叱る	schimpfen
時間	[f] Stunde(n)
時間（時）	[f] Zeit(en), [f] Uhrzeit(en)
時間通り	pünktlich
四季	die vier Jahreszeiten
指揮する（指導）	leiten
指揮者（男）	[m] Leiter(-)
指揮者（女）	[f] Leiterin(nen)
指揮する（オーケストラ）	dirigieren
指揮者（男）	[m] Dirigent(en)
指揮者（女）	[f] Dirigentin(nen)
識別する	erkennen
資金	[n] Kapital(e)
刺激	[m] Reiz(e)
刺激する	reizen
刺激的な	reizvoll
事業家（男）	[m] Unternehmer(-)

事業家（女）	[f] Unternehmerin(nen)
試験（テスト）	[f] Prüfung(en)
試験（実験）	[f] Probe(n)
試験する	testen
資源	[pl] Bodenschätze, [m] Rohstoff(e)
資源不足	[m] Rohstoffmangel
事故	[m] Unfall(Unfälle)
事故を起こす	einen Unfall verursachen
事故に巻き込まれる	an einem Unfall beteiligt sein
時刻	[f] Uhrzeit(en)
時刻表	[m] Fahrplan(-pläne)
仕事	[f] Arbeit(en)
仕事時間	[f] Arbeitszeit(en)
仕事場	[m] Arbeitsplatz(-plätze)
仕事で	geschäftlich
時差	[m] Zeitunterschied(e)
時差ぼけ	[m] Jetlag
自殺	[m] Selbstmord(e)
自殺する	Selbstmord begehen
資産	[n] Vermögen(-)
持参する	mit·bringen
事実	[f] Tatsache(n)
事実の	tatsächlich
辞書	[n] Wörterbuch(-bücher)
辞書でひく	nach·schlagen
使者	[m] Bote(n)
死者（男）	[m] Tote(n)
死者（女）	[f] Tote(n)
次女	die zweite Tochter
自身	selbst, persönlich
自信	[n] Selbstvertrauen
自信に満ちた	selbstbewusst
地震	[n] Erdbeben(-)
静かな	ruhig, still
静める	beruhigen
沈める	versenken
沈む	[s] sinken
沈む（太陽、月が）	[s] unter·gehen
シーズン	[f] Saison(s)
ハイシーズン	[f] Hochsaison(s)
施設	[f] Einrichtung(en)
自然	[f] Natur
自然の	natürlich
自然保護	[m] Naturschutz
子孫（総称）	[f] Nachkommenschaft
子孫	[m] Nachkomme(n)
舌	[f] Zunge(n)
下で、の	unter ~³
下に	unten
下へ	herunter
～したい（意志）	wollen
～したい（希望）	möchten
～したい	Lust auf ~ haben
時代	[f] Zeit(en)
時代遅れ	altmodisch
従う	folgen
したがって	deshalb, deswegen
～にしたがって	nach ~³
下着	[f] Unterwäsche(n)
支度する（準備）	sich vor·bereiten
支度する（身繕い）	sich fertig·machen
親しい	gut kennen
親しくする（～と）	befreundet (mit ~³)
親しくなる（～と）	sich befreunden (mit ~³)
仕立てる	schneidern
仕立て屋	[f] Schneiderei(en)
7	sieben
質	[n] Pfand(Pfänder)
7月	[m] Juli
試着する	an·probieren
試着室	[f] Umkleidekabine(n)
市長	[m] Bürgermeister(-)
試聴する	sich ~³ an·hören
シーツ	[n] Bettuch(-tucher)
実業家（男）	[m] Unternehmer(-)
実業家（女）	[f] Unternehmerin(nen)
失業	[f] Arbeitslosigkeit(en)
失業している	arbeitslos
失業者（男 / 女）	der/die Arbeitslose*
しつこい	lästig
実際には	eigentlich
実際は	in Wirklichkeit
失神する	in Ohnmacht fallen
知っている（人は物を）	
知っている（事柄を）	wissen
嫉妬する	eifersüchtig
湿度	[f] Luftfeuchtigkeit
失敗	[m] Misserfolg(e)
失敗する	misslingen
湿布	[m] Umschlag(Umschläge)
しっぽ	[m] Schwanz(Schwänze)
質問	[f] Frage(n)
質問する（～について）	fragen (nach ~³)
失礼な	unhöflich
なんて失礼な！	Unverschämt!
失礼ですが	Entschuldigung
失恋の悲しみ	[m] Liebeskummer
実は	eigentlich
CD	CD
～してもいい	dürfen
自転車	[n] Fahrrad(-räder)
自動車	[n] Auto(s)
自動の	automatisch
自動販売機	[m] Automat(en)
～しなくてはならない	müssen
品物	[m] Artikel(-), [f] Ware(n)
死ぬ	[s]sterben
死ぬ（事故などで）	ums Leben kommen
しばしば	oft
芝生	[m]Rasen
縛る	binden
しばらく	eine Weile
縛り付ける	fesseln
耳鼻咽喉科医	[m] Hals-Nasen-Ohren-Arzt(--Ärzte)
しびれる（手足が）	[s] ein·schlafen
自分	selbst
自分の	eigen
支配する	herrschen
支配人（男）	[m] Manager(-)
支配人（女）	[f] Managerin(nen)
紙幣	[m] Schein(e)
志望	[m] Wunsch(Wünsche)
志望する	wünschen
脂肪	[n] Fett
死亡	[m] Tod
資本、資本金	[n] Kapital(e)
資本主義	[m] Kapitalismus
資本主義の	kapitalistisch
資本主義者、資本家	[m] Kapitalist(en)
島	[f] Insel(n)
島へ	auf die Insel
姉妹	[f] Schwester(n)
しまう	ein·räumen
閉まっている	zu·geschlossen
自慢する	an·geben
しみ	[m] Fleck(en)
地味な	unauffällig
市民	[m] Bürger(-)
事務員（男）	[m]Bürokaufmann(-leute)
事務員（女）	[f] Bürokauffrau(en)
事務所	[n] Büro(s)
氏名	[m] Nachname(n)
湿った	feucht
閉める	zu·machen
閉める（カギを）	ab·schließen
地面	[m] Boden(Böden)
霜	[m] Frost(Fröste)
釈迦	Buddha
社会	[f] Gesellschaft(en)
社会学	[f] Soziologie
社会学者（男）	[m] Soziologe(n)
社会学者（女）	[f] Soziologin(nen)
社会的の	sozial
じゃがいも	[f] Kartoffel(n)
蛇口	[m]Wasserhahn(-hähne)
車庫	[f] Garage(n)
社交的な	gesellig
市役所	[n] Rathaus(-häuser)
車掌（男）	[m] Schaffner(-)
車掌（女）	[f]Schaffnerin(nen)
写真	[n] Foto(s)
写真をとる	fotografieren
社長（男）	[m] Direktor(en)
社長（女）	[f] Direktorin(nen)
シャツ	[n] Hemd(en)
しゃっくり	[m] Schluckauf
弱点	[f] Schwäche(n)
ジャーナリスト（男）	[m] Journalist(en)
ジャーナリスト（女）	[f] Journalistin(nen)
邪魔する	stören
お邪魔ですか？	Störe ich?
ジャム	[f] Marmelade(n)
シャワー	[f] Dusche(n)
シャワーを浴びる	sich duschen
シャンプー	[n] Shampoo(s)
州	[n] Bundesland(-länder)
週	[f] Woche(n)
自由	[f] Freiheit(en)
自由な	frei
獣医（男）	[m] Tierarzt(-ärzte)
獣医（女）	[f] Tierärztin(nen)
10	zehn
10月	[m] Oktober,{Okt.}
11	elf
11月	[m] November, {Nov.}
11日	elf
11番目（の～）	der/die/das elfte (~)
習慣	[f] Gewohnheit(en)
宗教	[f] Religion(en)
宗教的な	religiös
集合場所	[m] Treffpunkt(-e)
十字架	[n] Kreuz(e)
住所	[f] Adresse(n)
渋滞	[m] Stau(e)
重体	in Lebensgefahr
私有の	privat
集中	[f] Konzentration(en)
集中する	sich konzentrieren
修道院	[n] Kloster(Klöster)
12	zwölf
12月	[m] Dezember, {Dez.}
12日	der zwölfte
12番目（の～）	der/die/das zwölfte (~)
収入	[n] Einkommen(-)
10番目（の～）	der/die/das zehnte (~)
充分な	genug, genügend
(もう) 充分です	Es reicht (schon)

週末	[n] Wochenende(n)
十万	hunderttausend
重要な	wichtig
修理する	reparieren
修理工場	[f] Reparaturwerkstatt(-stätte)
種類	[f] Sorte(n)
主演する	die Hauptrolle spielen
主演男優	[m] Hauptdarsteller(-)
主演女優	[f] Hauptdarstellerin(nen)
授業	[m] Unterricht
宿題	[pl] Hausaufgaben
宿泊する	übernachten
宿泊所	[f] Unterkunft(-künfte)
宿泊客	[m] Gast(Gäste)
手術	[f] Operation(en)
手術を受ける	operiert werden
首相（男）	[m] Premierminister
首相（女）	[f] Premierministerin(nen)
（ドイツの首相）	[m] Bundeskanzler(-)
ジュース	[m] Saft(Säfte)
出国	[f] Ausreise(n)
出国する	[s]aus·reisen
出生地	[m] Geburtsort(e)
出発	[f] Abfahrt(en)
出発する	[s]ab·fahren
出発時間	[f] Abfahrzeit(en)
出版社	[m] Verlag(e)
首都	[f] Hauptstadt(-städte)
主婦	[f] Hausfrau(en)
趣味	[n] Hobby(s)
種類	[f] Art(en), [f] Sorte(n)
主役	[f] Hauptrolle(n)
純粋な	rein
準備	[f] Vorbereitung(en)
準備する	sich vor·bereiten
賞	[m] Preis(e)
しょうが	[m] Ingwer(-)
紹介	[f] Vorstellung
紹介する	vor·stellen, bekannt machen
自己紹介する	sich vor·stellen
小学校	[f] Grundschule(n)
正月	[n] Neujahr(en)
乗客	[m] Fahrgast(-gäste)
条件	[f] Bedingung(en)
証拠	[m] Beweis(e)
正午	[m] Mittag(e)
正午頃	gegen Mittag
正午に	mittags
錠剤	[f] Tablette(n)
正直な	ehrlich
少女	[n] Mädchen(-)
少々お待ちください	Einen Moment, bitte.
上手	geschickt, gut
少数	[f] Minderheit(en)
小説	[m] Roman(e)
招待	[f] Einladung
～に招待する	zu ~³ ein·laden
冗談	[m] Scherz(e)
冗談でしょ	Du machst doch einen Scherz.
承知した	einverstanden
使用中	besetzt
消毒	[f] Desinfektion(en)
消毒する	desinfizieren
消毒液	[n] Desinfektionsmittel
証人（男）	[m] Zeuge(n)
証人（女）	[f] Zeugin(nen)
商人	[m] Händler(-)
少年	[m] Junge
小児科医（男）	[m] Kinderarzt(-ärzte)
小児科医（女）	[f] Kinderärztin(nen)
乗馬	[n] Reiten
商売	[n] Geschäft
消費税	[f] Mehrwertsteuer
商品	[f] Ware(n)
上品な	gepflegt, elegant
丈夫な（体が）	gesund
城壁	[f] Schlossmauer(n)
小便する	pissen
情報	[f] Information(en)
消防車	[n] Feuerwehrauto(s)
消防署	[f] Feuerwache
証明する	beweisen
証明書	[f] Bescheinigung(en)
正面	[f] Front(en)
醤油	[f] Sojasoße
乗用車	[n] Auto(s)
将来	[f] Zukunft
将来は	in Zukunft
将来の	zukünftig
使用料	[f] Benutzungsgebühr(en)
初級	[f] Grundstufe(n)
食事	[n] Essen
食中毒	[f] Lebensmittelvergiftung(en)
植物	[f] Pflanze(n)
植物園	der botanische Garten
植民地	[f] Kolonie(n)
食欲	[m] Appetit
食欲がない	keinen Appetit haben
処女	[f] Jungfrau(en)
女性	[f] Frau(en), [f] Dame(n)
女性の	weiblich
食器	[n] Geschirr
処方箋	[n] Rezept(e)
署名	[f] Unterschrift(en)
署名する	unterschreiben
所有する	besitzen
所有者（男）	[m] Besitzer(-)
所有者（女）	[f] Besitzerin(nen)
書類	die Papiere
知らせる	benachrichtigen
調べる	untersuchen
知り合い（男女）	der/die Bekannte*
市立の	städtisch
私立の	privat
視力	[f] Sehkraft(-kräfte)
知る	erfahren
白	weiß
城	[n] Schloss(Schlösse)
しわ	[f] Falte(n)
シンガポール	Singapur
心筋梗塞	[m] Herzinfarkt(e)
シングルルーム	[n] Einzelzimmer(-)
神経	[m] Nerv(en)
神経質	nervös
神経科	[f] Neurologie
神経科医（男）	[m] Neurologe(n)
神経科医（女）	[f] Neurologin(nen)
真剣な	ernst
真剣に	im Ernst
人口	[f] Bevölkerung(en)
人工の	künstlich
申告する	melden
深刻な	ernsthaft
新婚	frisch verheiratet
新婚旅行	[pl] Flitterwochen
診察	[f] Untersuchung(en)
診察時間	[f] Sprechstunde(n)
診察室	[n] Sprechzimmer(-)
真実	[f] Wahrheit(en)
人種	[f] Menschenrasse(n)
人種差別	[f] Rassendiskriminierung
信じる	glauben
ジーンズ	[f] Jeanshose(n)
申請	[m] Antrag(-träge)
申請する	beantragen
親戚	der/die Verwandte*
親戚関係	[f] Verwandtschaft(en)
新鮮な	frisch
親切な	nett, freundlich
どうもご親切に	Das ist nett von Ihnen
心臓	[n] Herz(en)
心臓発作	[m] Herzanfall(-fälle)
腎臓	[f] Niere(n)
寝台車	[m] Schlafwagen(-)
身長	[f] Körpergröße(n)
身長いくつ？	Wie groß bist du?
慎重な、に	vorsichtig
心配	[f] Sorge(n)
心配する	sich³ Sorgen machen
心配するなよ	Keine Sorge!
新婦	[f] Braut(Bräute)
神父	[m] Priester(-)
じんましん	[m] Nesselausschlag
信頼する	vertrauen
新郎	[m] Bräutigam
酢	[m] Essig(e)
巣	[n] Nest(er)
水泳選手（男）	[m] Schwimmer(-)
水泳選手（女）	[f] Schwimmerin(nen)
推薦	[f] Empfehlung(en)
推薦する	empfehlen
推薦できる	empfehlenswert
スイス	die Schweiz
スイス人（男）	[m] Schweizer(-)
スイス人（女）	[f] Schweizerin(nen)
スイスの	schweizerisch
空いている	leer
スイッチ	[m] Schalter(-)
スイッチボタン	[m] Knopf(Knöpfe)
水筒	[f] Trinkflasche(n)
水道	[f] Wasserleitung(en)
水道水	[n] Leitungswasser
睡眠	[m] Schlaf
睡眠不足	[m] Schlafmangel
睡眠薬	[n] Schlafmittel
水曜日	Mittwoch {Mi.}
吸う（空気を）	ein·atmen
吸う（たばこを）	rauchen
数字	[f] Zahl(en)
スカイダイビング	[n] Fallschirmspringen
スカート	[m] Rock(Röcke)
スカーフ	[n] Halstuch(-tücher)
スカンジナビア	Skandinavien
スカンジナビアの	skandinavisch
好き	mögen
～するのが好き	gern
過ぎた	vorbei
好きな～	Lieblings-~
～を好きになる	sich in ~ verlieben
～すぎる	zu ~
スキーをする	Ski fahren
すぐに	gleich, sofort
少ない（数、量）	wenig
少ない（頻度）	selten
スケートする	Schlittschuh laufen
少し	ein bisschen
もう少し	noch ein bisschen
少しも～ない	gar nicht

スコットランド	Schottland
スコットランド人（男）	[m] Schotte(n)
スコットランド人（女）	[f] Schottin(nen)
スコットランドの	schottisch
錫	[n] Zinn
涼しい	kühl, frisch
スズメ	[m] Spatz(en)
勧める	empfehlen
スタジアム	[n] Stadion(Stadien)
スタンド	[f] Tribüne(n)
スタンプ	[m] Stempel(-)
スタンプを押す	stempeln
スチュワーデス	[f] Flugbegleiterin(nen)
スチュワード	[f] Flugbegleiter(-)
スーツ	[m] Anzug(Anzüge)
頭痛	[pl] Kopfschmerzen
すっかり	völlig
すっごーい！	Großartig!
ずっと	ganz
すっぱい	sauer
ステッカー	[m] Aufkleber(-)
ステーキ	[n] Steak(s)
ステージ	[f] Bühne(n)
すでに	bereits
捨てる（物を）	weg・werfen
すてる（人を）	verlassen
スト	[m] Streik(s)
ストッキング	[m] Strumpf(Strümpfe)
ストーブ	[m] Ofen(Öfen)
ストレス	[m] Stress
ストレスがたまっている	gestresst
ストロー	[m] Strohhalm(e)
砂	[m] Sand(e)
素直な	lieb
脛	[n] Schienbein(e)
スーパーマーケット	[m] Supermarkt(-märkte)
素晴らしい	wunderbar
スパゲッティ	die Spaghetti
スピーカー	[m] Lautsprecher(-)
スピード	[f] Geschwindigkeit(en)
スペイン	Spanien
スペイン人（男）	[m] Spanier(-)
スペイン人（女）	[f] Spanierin(nen)
スペイン語	Spanisch
スペインの	spanisch
全て	alle
～すべきである	sollen
滑る	[s] rutschen
スポーツ	[m] Sport
ズボン	[f] Hose(n)
すみません	Entschuldigung.
隅	[f] Ecke(n)
住む	wohnen
スラム	[pl] Slums
スリ	[m] Taschendieb(e)
する	tun, machen
ずるがしこい	schlau
すると	(und) dann
鋭い	scharf
座っている	sitzen
座る	sich hin・setzen
お座りください	Bitte, nehmen Sie Platz.
寸法	[n] Maß
性	[n] Geschlecht(er)
誠意	[f] Ehrlichkeit
西欧	Westeuropa
西欧の	westeuropäisch
性格	[f] Persönlichkeit(en)
正確な	genau
生活	[n] Leben
生活費	[m] Lebensunterhalt
税関	[n] Zollamt(-ämter)
世紀	[n] Jahrhundert
正義	[f] Gerechtigkeit
請求する	verlangen, fordern
請求書	[f] Rechnung(en)
税金	[f] Steuer(n)
清潔な	sauber
清潔にする	sauber・machen
制限	[f] Beschränkung(en)
性交	[m] Geschlechtsverkehr
成功	[m] Erfolg(e)
成功した	erfolgreich
成功を祈ってるよ！	Viel Erfolg!
星座	[n]Sternzeichen
牡羊座	[m] Widder(-)
牡牛座	[m] Stier(e)
双子座	[pl] Zwillinge
かに座	[m] Krebs(e)
しし座	[m] Löwe(n)
乙女座	[f] Jungfrau(en)
天秤座	[f] Waage(n)
さそり座	[m] Skorpion(e)
射手座	[m] Schütze(n)
山羊座	[m] Steinbock(Steinböcke)
水瓶座	[m] Wassermann (-männer)
魚座	[m] Fisch(e)
生産する	produzieren
政治	[f] Politik
政治家（男）	[m] Politiker(-)
政治家（女）	[f] Politikerin(nen)
政治的な	politisch
聖書	[f] Bibel(n)
精神	[m] Geist
精神安定剤	[n] Beruhigungsmittel
精神科	[f] Psychiatrie
精神科医（男）	[m] Psychiater(-)
精神科医（女）	[f] Psychiaterin(nen)
精神的な	geistig
精神病	[f] Geisteskrankheit(en)
成績	[n] Zeugnis(se)
製造する	her・stellen
ぜいたくな	luxuriös
成長する	[s] (auf)wachsen
生徒（男）	[m] Schüler(-)
生徒（女）	[f] Schülerin(nen)
青年	die Jugend
生年月日	[m] Geburtstag(e)
性病	[f] Geschlechtskrankheit(en)
政府	[f] Regierung(en)
生命	[n] Leben
西洋	der Westen
西洋の	westlich
生理	[f] Periode(n), die Tage
税理士（男）	[m] Steuerberater(-)
税理士（女）	[f] Steuerberaterin(nen)
西暦	nach Christus
背負う	auf dem Rücken tragen
世界	[f] Welt
世界的に	weltweit
世界的に有名な	weltberühmt
世界記録	[m] Weltrekord(e)
世界選手権	[f] Weltmeisterschaft(en)
席	[m] Platz(Plätze)
咳	[m] Husten
咳をする	husten
咳どめあめ	die Hustenbonbons
責任	[f] Verantwortung(en)
責任感のある	verantwortungsvoll
責任感のない	verantwortungslos
赤面する	rot werden
石油	[n] Erdöl
赤痢	[f] Dysenterie
セクシー	sexy
せこい	spießig
セーター	[m] Wollpulli(s)
積極的	aktiv
セッケン	[f] Seife(n)
節操のある	treu
節操のない	untreu
接続	[m] Anschluss(Anschlüsse)
接待	[m] Empfang(Empfänge)
接待する	empfangen
絶対に	absolut
絶対確かな	absolut sicher
接着剤	[m] Kleber(-)
設備	[f] Einrichtung(en)
～に絶望する	an ~^{3} verzweifeln
絶望的な	hoffnungslos
説明する	erklären
絶滅する	[s]aus・sterben
節約する	sparen
設立する	gründen
背中	[m] Rücken(-)
ぜひ	unbedingt
せまい	eng, schmal
攻める	an・greifen
責める	vor・werfen
セールスマン	[m] Verkäufer(-)
セルフサービス	[f] Selbstbedienung
ゼロ	null
セロテープ	[m] Tesafilm
世話する	sich kümmern (um ~)
千	tausend
線	[f] Linie(n)
栓	[m] Verschluss(Verschlüsse)
全員	alle
洗顔	[f] Gesichtsreinigung
選挙	[f] Wahl(en)
選挙権	[n] Wahlrecht
先月	der letzte Monat
専攻	[n] Hauptfach(-fächer)
先日	neulich
洗剤	[n] Waschmittel
洗剤（食器用）	[n] Spülmittel
戦車	[m] Panzer(-)
選手（男）	[m] Spieler(-)
選手（女）	[f] Spielerin(nen)
先週	die letzte Woche
センス	[m] Sinn
先生（男）	[m] Lehrer(-)
先生（女）	[f] Lehrerin(nen)
全然～ない	gar nicht ~
先祖	[m] Vorfahr(en)
戦争	[m] Krieg(e)
洗濯機	[f] Waschmaschine(n)
洗濯する	die Wäsche waschen
洗濯物	[f] Wäsche
洗濯物を干す	auf・hängen
栓抜き（ビン）	[m] Flaschenöffner(-)
栓抜き（コルク）	[m] Korkenzieher(-)
全部	alles
専門医（男）	[m] Facharzt(-ärzte)
専門医（女）	[f] Fachärztin(nen)
専門家（男）	[m] Fachmann(-leute)
専門家（女）	[f] Fachfrau(en)
専門学校	[f] Fachschule(n)
専門店	[n] Fachgeschäft(e)

全力をつくすよ！	Ich tue mein Bestes!
前輪	[n] Vorderrad(-räder)
ゾウ	[m] Elefant(en)
そういう	so
そういうこと	so was
騒音	[m] Lärm
双眼鏡	[n] Fernglas(-gläser)
倉庫	[n] Lager(-)
操作する	bedienen
そうじする	putzen
葬式	[f] Beerdigung(en)
想像する	sich³ vor·stellen
相談する	nach Rat fragen
そうそう	Ja, genau.
そうです	Jawohl!
送料	[n] Porto
僧侶	ein buddhistischer Mönch(e)
速達	[m] Eilbrief(e)
そこ	dort
底	[m] Boden(Böden)
そして	und
ソース	[f] Soße(n)
ソーセージ	[f] Wurst(Würste)
注ぐ	gießen
育てる	groß·ziehen
卒業する	absolvieren
外	draußen
その上	außerdem
その後	danach
その他	sonst
その通り！	Ja, das stimmt!
祖父	[m] Großvater(-väter)
祖父母	[pl] Großeltern
祖母	[f] Großmutter(-mutter)
染める	färben
空	[m] Himmel
剃る	rasieren
それ	das da
それ以来	seitdem
それから	dann
それぞれ	jeder
それぞれ（f）	jede
それぞれ（n）	jedes
それでも	trotzdem
それどういう事？	Was soll das heißen?
それとも	oder
それら	sie
損害	[m] Schaden(Schäden)
尊敬	[m] Respekt
尊敬する	respektieren

た　行

タイ	Thailand
タイ語	Thailändisch
タイ人（男）	[m] Thailänder(-)
タイ人（女）	[f] Thailänderin(nen)
タイの	thailändisch
ダイエット	[f] Diät(en)
退院	entlassen werden
体温	[f] Körpertemperatur(en)
体温計	[n] Fieberthermometer(-)
大学	[f] Universität(en)
大学生（男）	[m] Student(en)
大学生（女）	[f] Studentin(nen)
大工	[m] Zimmermann(-männer)
たいくつ	langweilig
大使	[m] Botschafter(-)
大使館	[f] Botschaft(en)
体重	[n] Körpergewicht(e)
だいじょうぶ	Das geht schon.
大丈夫ですか？	Ist alles in Ordnung?
大丈夫？	Geht's?
だいじょうぶだよ！	Keine Angst!
退職する	pensionieren
耐水性の	wasserdicht
大切	wichtig
対戦相手	[m] Gegner(-)
たいてい	meistens
態度がよい	sich gut benehmen
態度が悪い	sich schlecht benehmen
大統領（男）	[m] Präsident(en)
大統領（女）	[f] Präsidentin(nen)
台所	[f] Küche(n)
第2次世界大戦	der zweite Weltkrieg
台風	[m] Taifun(e)
たいへん（すごく）	sehr
たいへん（ひどい）	schlimm
たいへん（恐ろしい）	schrecklich
大便	[m] Stuhlgang
逮捕する	verhaften
題名	[m] Titel(-)
タイヤ	[m] Reifen(-)
タイヤ交換	[m] Reifenwechsel(-)
ダイヤモンド	[m] Diamant(en)
太陽	die Sonne
大陸	[m] Kontinent(e)
代理人（男）	[m] Vertreter(-)
代理人（女）	[f] Vertreterin(nen)
台湾	Taiwan
台湾人（男）	[m] Taiwanese(-)
台湾人（女）	[f] Taiwanesin(nen)
台湾の	taiwanesisch
耐える	durch·halten
タオル	[n] Tuch(Tücher)
たおれる	[s] um·fallen
高い（高さ）	hoch
高い（値段）	teuer
宝くじ	[n] Lotto
抱きしめる	umarmen
炊く	kochen
抱く	in die Arm nehmen
たくさん	viel
もうたくさんだ！	Mir reicht es aber!
タクシー	[n] Taxi(s)
タクシーに乗っていく	mit dem Taxi fahren
タクシー運転手（男）	[m] Taxifahrer(-)
タクシー運転手（女）	[f] Taxifahrerin(nen)
タクシー乗り場	[m]Taxistand(-stände)
鷹	[m] Falke(n)
竹	[m] Bambus(se)
タコ	[m] Oktopus(e)
凧	[m] Drache(n)
確かな（確実）	sicher
確かな（信用できる）	zuverlässig
たしかめる	bestätigen
足す（計算）	addieren
足す（追加）	dazu geben
ダース	[n] Dutzend(e)
助ける	helfen
たすけてー！	Hilfe!
ただ	umsonst
唯	nur
たたかう	kämpfen
たたく（軽く）	klopfen
叩く（打つ）	schlagen
叩く（手を）	klatschen
たたむ	zusammen·falten
ただしい	richtig
君が正しいよ	Du hast recht.
ただ一つ	einzig
立入禁止	Eintritt verboten.
立入禁止	Betreten verboten.
立ち入る	[s] ein·treten
立ち去る	verlassen
立ち寄る（〜に）	[s]vorbei·kommen (bei ~³)
立ち直る	verkraften
立つ（起立）	[s] auf·stehen
発つ	[s] ab·reisen
経つ	[s] vergehen
断つ	ab·brechen
脱臼	[f] Ausrenkung(en)
脱臼（関節）	[f] Auskugelung(en)
脱臼する	sich³ ~ aus·renken
たった今	gerade jetzt
立っている	stehen
脱毛	[m] Haarausfall(-fälle)
縦	[f] Länge
建物	[n] Gebäude(-)
建てる	bauen
たとえば	zum Beispiel
棚	[n] Regal(e)
他人（男／女）	der/die Andere
楽しい	schön, nett
楽しい	Mir macht das Spaß.
楽しみ	[f] Freude
〜を楽しみにしている	sich auf ~ freuen
楽しむ	genießen
楽しんでね！	Viel Spaß!
〜をたのむ	um ~ bitten
タバコ	[f] Zigarette(n), [f] Kippe(n)
タバコを吸う	rauchen
ダブルルーム	[n] Doppelzimmer(-)
たぶん	vielleicht
食べ物	[pl] Lebensmittel
食べる	essen
タマゴ	[n] Ei(er)
騙す	betrügen
タマネギ	[f] Zwiebel(n)
試す	versuchen, probieren
ためらう	zögern
〜に頼る	sich auf ~ verlassen
足りる	aus·reichen
誰が	wer
誰に	wem
誰を	wen
誰か	jemand
誰でも	jeder
誰も〜ない	keiner, jemand
痰	[m] Schleim(e)
短期の	kurzfristig
短気	ungeduldig
単語	[f] Vokabel(n)
短所	[m] Nachteil(e)
誕生日	[m] Geburtstag(e)
ダンス	[n] Tanzen
男性	[m] Mann(Männer), [m] Herr(en)
男性器	ein männliches Organe(n)
団体	[f] Gruppe(n)
〜を断念する	auf ~ verzichten
たんぼ	[n] Reisfeld(er)
暖房	[f] Heizung(en)
血	[n] Blut
痔	die Hämorrhoiden
治安がいい	sicher
地位	[f] Stelle(n)
地域	[m] Bezirk(e)
ちいさい	klein
チェーン	[f] Kette(n)
チェック（小切手）	[m] Scheck(s)
チェックアウトする	aus·checken

チェックインする	ein·checken
地下 [n]	Untergeschoß(-geschosse)
近い	nah
～の近くに	in der Nähe von ~³
違う	falsch
地下鉄 [f]	U-Bahn(en)
地下道 [f]	Unterführung(en)
ちくしょー！	Verdammt!
近づく	sich nähern
地球	die Erde
地獄 [f]	Hölle
遅刻する [s]	zu spät kommen
知識 [f]	Kenntnis(se)
地図 [m]	Atlas(se)
地図（町の）[m]	Stadtplan(-pläne)
父 [m]	Vater(Väter)
縮む [s]	schrumpfen
ちっとも～でない	überhaupt nicht ~
地方 [f]	Region(en)
チーム [f]	Mannschaft(en)
茶 [m]	Tee(s)
茶色い	braun
着払いで	per Nachnahme
着陸する [s]	landen
チャーターする	chartern
茶わん [f]	Reisschale(n)
ちゃんと	ordentlich
チャンネル [n]	Programm(e)
チャンピオン（男）[m]	Meister(-)
チャンピオン（女）[f]	Meisterin(nen)
～に注意する	auf ~ achten
注意！	Achtung!
中学校 [f]	Mittelschule(n)
中級 [f]	Mittelstufe(n)
中近東	der mittlere und der nahe Osten
中国	China
中国語	Chinesisch
中国人（男）[m]	Chinese(n)
中国人（女）[f]	Chinesin(ne)
中国の	chinesisch
中止する [s]	aus·fallen
注射 [f]	Spritze(n)
駐車する	parken
駐車禁止！	Parken Verboten.
駐車場 [m]	Parkplatz(-plätze)
昼食 [n]	Mittagsessen
中心 [m]	Mittelpunkt(e)
	[n] Zentrum(Zentren)
中心（中心）[f]	Stadtmitte(n)
注文する	bestellen
腸 [m]	Darm(Därme)
蝶 [m]	Schmetterling(e)
長所 [f]	Starke, [m] Vorteil(e)
長女	die älteste Tochter
朝食 [n]	Frühstück(e)
調整する	ein·stellen
彫刻家（男）[m]	Schnitzer(-)
彫刻家（女）[f]	Schnitzerin(nen)
彫刻品 [f]	Schnitzerei(en)
長所 [m]	Vorteil(e)
挑戦する	heraus·fordern
ちょうど	genau
ちょうどいい	genau richtig
長男	der älteste Sohn
調味料 [n]	Gewürz(e)
チョコレート [f]	Schokolade(n)
地理、地理学 [f]	Geographie
治療 [f]	Behandlung(en)
治療する	behandeln
鎮静剤 [n]	Beruhigungsmittel
鎮痛剤 [n]	Schmerzmittel
ツアー [f]	Tour(en)
追加する	hinzu·fügen
追加注文する	nach·bestellen
1日（ついたち）	der erste
（～に）ついて	über ~
付いて行く [s]	mit·gehen
付いて来る [s]	mit·kommen
通貨 [f]	Währung(en)
通過する [s]	durch·fahren
通訳（男）[m]	Dolmetscher(-)
通訳（女）[f]	Dolmetscherin(nen)
通訳する	dolmetschen
通訳の人を呼んで.. Bitte holen Sie mir einen Dolmetscher.	
使う	benutzen
つかまえる	fangen
疲れた	müde, am Ende
とっても疲れた.	fix und fertig
月 [m]	Monat(e)
月（天文）[m]	Mond(e)
～付きの	mit ~³
次	nächst
付き添う	begleiten
付添人（男）[m]	Begleiter(-)
付添人（女）[f]	Begleiterin(nen)
つぐ（飲物を）	ein·schenken
机 [m]	Tisch(e)
作る	basteln
つける（スイッチ）	ein·schalten
つける（明かり）	an·machen
つける（火）	an·zünden
つける（塗る）	streichen
都合がいい	günstig
土 [f]	Erde
続く	dauern
続ける	fort·setzen, weiter·machen
包む	ein·packen
ツナ [m]	Thunfisch
つなぐ	verbinden
妻 [f]	Ehefrau(en)
つまらない	langweilig
罪 [f]	Schuld(en)
爪 [m]	Nagel(Nägel)
爪切り [m]	Nagelknipser(-)
爪切りはさみ [f]	Nagelschere(n)
冷たい	kalt
梅雨 [f]	Regenzeit(en)
強い	stark
強み [f]	Stärke(n)
つらい	hart
釣りをする	angeln
つり銭 [n]	Wechselgeld
連れ合い（男）[m]	Lebensgefährte(n)
連れ合い（女）[f]	Lebensgefährtin(nen)
手 [f]	Hand(Hände)
出会い [f]	Begegnung(en)
出会う [s]	begegnen
提案 [m]	Vorschlag(Vorschläge)
提案する	vor·schlagen
Tシャツ [n]	T-Shirt(s)
ディスコ [f]	Diskothek(en)
ティッシュペーパー [f]	Tempo(s)
ていねい	höflich
停留所 [f]	Haltestelle(n)
でかける [s]	aus·gehen
～できる	können
～できない	nicht können
手紙 [m]	Brief(e)
出口 [m]	Ausgang(Ausgänge)
出口（車などの）[f]	Ausfahrt(en)
デザイン [n]	Design(s)
デザート [m]	Nachtisch(e)
手数料 [f]	Gebühr(en)
鉄 [n]	Eisen(-)
手伝う	helfen
手続き [pl]	Formalitäten
鉄道 [f]	Eisenbahn(en)
鉄道線路 [f]	Bahnschiene(n)
手荷物 [n]	Handgepäck
手荷物預かり所. [f] Handgepäckaufbewahrung(en)	
手荷物取扱所 [f]	Gepäckannahme(n)
デパート [n]	Kaufhaus(-häuser)
手袋 [m]	Handschuh(e)
テーブル [m]	Tisch(e)
テーブルクロス [f]	Tischdecke(n)
出る（～から）[s]	aus ~³ gehen
出る（乗り物で）[s]	aus·fahren
テレビ [m]	Fernseher(-)
電圧 [f]	Spannung(en)
店員（男）[m]	Verkäufer(-)
店員（女）[f]	Verkäuferin(nen)
天気 [n]	Wetter
天気予報 [f]	Wettervorhersage(n)
電気 [m]	Strom(Ströme)
電気工学 [f]	Elektrotechnik
電気自動車 [n]	Elektroauto(s)
電気スタンド [f]	Tischlampe(n)
電球 [f]	Birne(n)
天国 [m]	Himmel(-)
伝言する	aus·richten
天才 [m]	Genie(s)
天才的な	genial
天災 [f]	Naturkatastrophe(n)
電車 [f]	Bahn(en)
天井 [f]	Decke(n)
添乗員（男）[m]	Reisebegleiter(-)
添乗員（女）[f]	Reisebegleiterin(nen)
伝染病 [f]	Infektionskrankheit(en)
電池 [f]	Batterie(n)
電灯 [f]	Lampe(n)
伝統 [f]	Tradition(en)
伝統的	traditionell
電報 [n]	Telegramm(e)
デンマーク	Dänemark
デンマーク語	Dänisch
デンマーク人（男）[m]	Däne(n)
デンマーク人（女）[f]	Dänin(nen)
デンマークの	dänisch
電話 [n]	Telefon(e)
電話帳 [n]	Telefonbuch(-bucher)
電話する	telefonieren
電話番号 [f]	Telefonnummer(n)
電話をかける	an·rufen
ドアー [f]	Tür(en)
ドイツ	Deutschland
ドイツ人（男/女）der/die Deutsche*	
ドイツ語	Deutsch
ドイツの	deutsch
トイレ [f]	Toilette(n)
トイレへ	auf die Toilette gehen
トイレットペーパー [n]	Toilettenpapier(e)
どういたしまして	Nichts zu danken.
とうがらし [f]	Peperoni(s)
陶器 [f]	Keramik(e)
動悸 [m]	Herzschlag(-schläge)
東京	Tokio, Tokyo
同国人 [m]	Landsmann(Landsleute)

陶磁器	[n] Porzellan(e)
どうぞ〜して下さい	Bitte, 〜
到着	[f] Ankunft
到着する	[s] an·kommen
到着時刻	[f] Ankunftszeit(en)
どうでもいいよ	Mir ist egal.
盗難	[m] Diebstahl(-stähle)
東南アジア	Südostasien
糖尿病	[f] Zuckerkrankheit(en)
糖尿病患者	[m] Diabetiker(-)
同封する	bei·legen
動物	[n] Tier(e)
動物愛護	[m] Tierschützer
動物園	[m] Zoo(s)
動物学	[f] Zoologie
動物学者	[m] Zoologe(n)
動物的な	tierisch
トウモロコシ	[m] Mais(e)
どうやって？	Wie?
東洋	der Osten
東洋の	östlich
登録する	ein·tragen
遠い	weit
10日（とおか）	der zehnte
通り	[f] Straße(n)
〜の通り	wie 〜
毒	[n] Gift(e)
特産物	[f] Spezialität(en)
読書	[n] Lesen
独身	ledig
特徴	[n] Merkmal(e)
独特な	eigenartig
特別な	besondere
時計	[f] Uhr(en)
どこ？	Wo?
どこか	irgendwo
どこから	woher
どこからか	irgendwoher
どこにも〜ない	nirgendwo
どこへ	wohin
どこへか	irgendwohin
ところで	übrigens
閉じる	schließen
都市	[f] Stadt(Städte)
大都市	[f] Großstadt(-städte)
年	[n] Jahr(e)
歳	[n] Alter
歳上の	älter
歳下の	jünger
歳とった	alt
図書館	[f] Bibliothek(en)
トースト	[m] Toast(e)
土地	[n] Grundstück(e)
途中（〜の）	bei 〜³
途中（〜へ行く）	auf dem Weg zu/nach 〜
突然	plötzlich
隣り	nächst
〜の隣り	neben 〜³
とにかく	jedenfalls
飛ぶ	[s] fliegen
徒歩で	zu Fuß
トマト	[f] Tomate(n)
止まる	halten
止まれ！	Bleib stehen!
泊まる	übernachten
ドミトリー	[m] Schlafsaal(-säle)
友達（男）	[m] Freund(e)
友達（女）	[f] Freundin(nen)
土曜日	[m] Samstag(e) {Sa.}
トラ	[m] Tiger(-)
ドライクリーニング	die chemische Reinigung(en)
トラック	[m] Laster(-)
トラベラーズチェック	[m] Reisescheck(s)
トランク	[m] Koffer(-)
トランク（車の）	[m] Kofferraum(-räume)
トランプ	[f] Spielkarte(n)
鳥	[m] Vogel(Vögel)
とり替える	wechseln, um·tauschen
とり消す	zurück·nehmen
とり肉	[n] Geflügel
努力する	sich an·strengen
取る	nehmen
ドル	[m] Dollar(s)
トルコ	die Türkei
トルコ語	Türkisch
トルコ人（男）	[m] Türke
トルコ人（女）	[f] Türkin(nen)
トルコの	türkisch
どれ？	Welches?
どれか	irgendeins
でれでもいい	egal
泥棒	[m] Dieb(e)
泥棒（押し込み）	[m] Einbrecher(-)
トンネル	[m] Tunnel(-)
トンマな	doof

な 行

〜ない（否定）	nicht
ない（存在：[m]/[f]/[n]）	Es gibt keinen/keine/kein-
ない（所持：[m]/[f]/[n]）	keinen/keine/kein 〜haben
内科	die innere Medizin
内科医（男）	[m] Internist(en)
内科医（女）	[f] Internistin(nen)
内線	[m] Nebenanschluss(-anschlüsse)
内臓	die inneren Organe
ナイフ	[n] Messer(-)
内容	[m] Inhalt(e)
直す（訂正）	verbessern
直す（修理）	reparieren
治る	[s] heilen
中	das Innere
中で、に	innen
〜の中に	in 〜³
〜の中へ	in 〜
中指	[m] Mittelfinger(-)
長い	lang
仲直りする	sich versöhnen
ながめがいい	eine gute Aussicht
ながれる	[s,h] fließen
流れ星	[f] Sternschnuppe(n)
泣く	weinen
なぐさめ	[m] Trost
なぐさめる	trösten
なくす	verlieren
殴る	schlagen
殴る蹴る	prügeln
投げる	werfen
〜なしで	ohne 〜³
成し遂げる	schaffen
ナス	[f] Aubergine(n)
なぜ？	Warum? Wieso?
なぜダメ？	Warum nicht?
なぜだか	irgendwie
なぜならば	weil
夏	[m] Sommer(-)
〜がなつかしい	Sehnsucht nach 〜³ haben
夏休み（学校、大学の）	[pl] Sommerferien
夏休み（会社の）	[m] Sommerurlaub(e)
7	sieben
7番目（の〜）	der/die/das siebte (〜)
なに？	Was?
なにがあったの？	Was ist passiert?
なによー！	Was denn!
なにか	irgendwas
なによりも	vor allem
7日（なのか）	der siebte
ナベ	[m] Topf(Töpfe)
生意気	frech
名前	[m] Name(n)
怠けた	faul
怠ける	faulenzen
生の	roh
訛り	[m] Dialekt(e)
波	[f] Welle(n)
なみだ	[f] Träne(n)
悩み	[m] Kummer
〜に悩む	unter 〜³ leiden
習う	lernen
鳴る	klingeln
なるほど	Ach so.
〜に慣れる	sich an 〜 gewöhnen
何個	Wie viele Stücke?
何時	Wie viel Uhr?
何時間	Wie viele Stunden?
何種類	Wie viele Sorten?
何人	Wie viele Personen?
ナンバープレート	[n] Kennzeichen(-)
難民	[m] Flüchtling(e)
2	zwei
苦い	bitter
2月	[m] Februar, {Feb.}
2番目	der/die/das zweite
にぎやかな	fröhlich
肉	[n] Fleisch
肉屋	[f] Metzgerei(en)
肉屋の人	[m] Metzger(-)
逃げる	[s] fliehen
西	Westen, West
西ヨーロッパ	Westeuropa
ニセモノ	[f] Imitation(en)
偽の	gefälscht
日曜日	[m] Sonntag(e) {So.}
日記	[n] Tagebuch(-bücher)
似ている	ähnlich
2等（席）	die zweite Klasse(n)
にぶい	stumpf
日本	Japan
日本円	der japanische Yen
日本語	Japanisch
日本酒	[m] Sake, japanischer Reiswein
日本食	japanisches Essen
日本人（男）	[m] Japaner(-)
日本人（女）	[f] Japanerin(nen)
荷物	[n] Gepäck
入管	[f] Immigration(en)
入国	[f] Einreise
入国する	[s] ein·reisen
入場料	[m] Eintritt(e)
ニュース	[f] Nachricht(en)
尿	[m] Urin(e)
煮る	kochen
庭	[m] Garten(Gärten)
ニワトリ	[n] Huhn(Hühner)
人気がある	beliebt
人形	[f] Puppe(n)
人間	[m] Mensch(en)
妊娠している	schwanger

人数	[f] Kopfzahl(en)
ニンニク	[m] Knoblauch
妊婦	eine Schwangere*
ぬいぐるみ	[n] Kuscheltier(e)
抜く	heraus·ziehen
脱ぐ	aus·ziehen
盗む	stehlen, klauen
布	[m] Stoff(e)
塗る	streichen
値打ちがある	wertvoll
ネクタイ	[f] Krawatte(n)
猫	[f] Katze(n)
オス猫	[m] Kater(-)
ネズミ	[f] Maus(Mäuse)
ドブネズミ	[f] Ratte(n)
値段	[m] Preis(e)
熱がある	Fieber haben
熱が出る	Fieber bekommen
ネックレス	[f] Halskette(n)
値引きする	Rabatt geben
ねむい	müde
寝る	schlafen
	[s] ins Bett gehen
寝入る	[s] ein·schlafen
ぐっすり寝る	aus·schlafen
年金	[f] Rente(n)
年金生活者（男）	[m] Rentner(-)
年金生活者（女）	[f] Rentnerin(nen)
〜をネンザする	sich³ ~ verstauchen
年収	[n] Jahreseinkommen
年齢	[n] Alter
脳	[n] Gehirn(e)
農業	[f] Landwirtschaft
農民（男）	[m] Bauer(n)
農民（女）	[f] Bäuerin(nen)
能力	[f] Fähigkeit(en)
逃す	verpassen
残す	übrig·lassen
残り	[m] Rest(e)
残る	[s] übrig·bleiben
覗く	rein·schauen
望み	[m] Wunsch(-)
望む	wünschen
喉	[f] Kehle(n)
ノート	[n] Heft(e)
のどが乾く	Durst haben
ののしる	beschimpfen
登る	[s] hinauf·gehen
登る（上昇）	[s] steigen
昇る	[s] auf·gehen
飲み物	[n] Getränk(e)
飲む	trinken
乗り換える	[s] um·steigen
乗る	[s] ein·steigen
ノルウェー	Norwegen
ノルウェー語	Norwegisch
ノルウェー人（男）	[m] Norweger(-)
ノルウェー人（女）	[f] Norwegerin(nen)
ノルウェーの	norwegisch

は 行

歯	[m] Zahn(Zähne)
葉	[n] Blatt(Blätter)
バー	[f] Bar(s)
バーで払う	in bar bezahlen
（〜の）場合	im Falle von ~
肺	[f] Lunge(n)
灰	[f] Asche
はい（肯定）	ja
はい（否定形の疑問文に対して）	doch
〜倍	~fach, ~mal
2倍	doppelt
灰色の	grau
肺炎	[f] Lungenentzündung(en)
ハイキング	[n] Wandern
バイク	[n] Motorrad(-räder)
灰皿	[m] Aschenbecher(-)
歯医者（男）	[m] Zahnarzt(-ärzte)
歯医者（女）	[f] Zahnärztin(nen)
売春	[f] Prostitution
売春婦	eine Prostituierte
配達する	liefern
パイナップル	[f] Ananas(-)
俳優（男）	[m] Schauspieler(-)
俳優（女）	[f] Schauspielerin(nen)
入る	[s] herein·gehen, [s] ein·treten
入って！	Komm rein!
ハエ	[f] Fliege(n)
墓	[n] Grab(Gräber)
墓場	[m] Friedhof(-höfe)
バカ	dumm
バカモノ！	Dummkopf!
計る	messen
計る（重さを）	wiegen
吐く	sich erbrechen
吐き気がする	Mir ist übel.
はきけがするくらい嫌な	ekelig, ekelhaft
履く	an·ziehen
爆竹	[m] Knaller(-)
爆発	[f] Explosion(en)
爆発する	[s] explodieren
博物館	[n] Museum(Museen)
ハゲ	[f] Glatze(n)
バケツ	[m] Eimer(-)
箱（紙）	[f] Schachtel(n)
箱（木）	[f] Kiste(n)
箱（ダンボール）	[m] Karton(s)
運ぶ	bringen
はさみ	[f] Schere(n)
はさむ（〜の間に）	stecken, legen (zwischen ~³)
端	[m] Rand(Ränder), [f] Kante(n)
橋	[f] Brücke(n)
箸	[pl] Stäbchen
はしか	[pl] Masern
始まる	beginnen
始める	an·fangen
初めて	zum erstemal
場所	[m] Platz(Plätze)
破傷風	[m] Tetanus
走る	[s] laufen, [s] rennen
恥じる	sich schämen
バス	[m] Bus(se)
バスタブ	[f] Badewanne(n)
パスポート	[m] Reisepass(-pässe)
パソコン	PC
旗	[f] Flagge(n)
バター	[f] Butter
はだかの	nackt
畑	[n] Feld(er)
はたらく	arbeiten, schaffen
8	acht
蜂	[f] Biene(n)
8月	[m] August, {Aug.}
8番目（の〜）	der/die/das achte (~)
ハチミツ	[m] Honig(e)
発音	[f] Aussprache(n)
バック	[f] Tasche(n)
バックギア	Rückwärts
発行する	aus·stellen
発車	[f] Abfahrt
発車する	[s] ab·fahren
発車時刻	[f] Abfahrzeit(en)
発展途上国	[n] Entwicklungsland(-länder)
パーティー	[f] Party(s)
ハデな	auffällig
鼻	[f] Nase(n)
鼻水がでる	Die Nase läuft.
花	[f] Blume(n)
鼻血	[f] Nasenblutung(en)
話す	sprechen, reden
話す（談笑）	sich unterhalten
話す（くだらない話）	quatschen
バナナ	[f] Banane(n)
花火	[n] Feuerwerk(e)
母	[f] Mutter(Mütter)
ハブラシ	[f] Zahnbürste(n)
バーベキュー	[m] Grill(s)
パーマ	[f] Dauerwelle(n)
ハミガキ	[f] Zahnpasta(-pasten)
速い	schnell
早い	früh
払い戻す	zurück·bezahlen
払う	bezahlen
〜に腹立てる	sich über ~ ärgern
はり紙	[m] Zettel(-), [n] Plakat(e)
春	[m] Frühling(e)
貼る	kleben
晴れ	heiter
パワー	[f] Kraft(Kräfte)
パン	[n] Brot(e)
晩	[m] Abend(e)
晩に	abends, am Abend
番（私の）	Ich bin dran.
範囲	[n] Gebiet(e)
ハンカチ	[n] Handtuch(-tücher)
反感	[f] Abneigung(en)
パンクする	[s] platzen
パンケーキ	[m] Pfannkuchen(-)
番号	[f] Nummer(n)
犯罪	[n] Verbrechen(n)
ハンサム	gutaussehend
ばんそうこう	[n] Pflaster(-)
〜に反対する	gegen ~ widerstehen
私は反対だ	Ich bin dagegen.
反対側	die andere Seite
パンツ	[f] Unterhose(n)
パンティー	[m] Slip(s)
半島	[f] Halbinsel(n)
半月	ein halber Monat
半年	ein halbes Jahr
ハンドバッグ	[f] Handtasche(n)
ハンドブレーキ	[f] Handbremse(n)
ハンドル	[n] Lenkrad(-räder)
半日	ein halber Tag
犯人（男）	[m] Täter(-)
犯人（女）	[f] Täterin(nein)
パンフレット	[f] Broschüre(n)
半分	[f] Hälfte
半分の〜	der/die/das halbe ~
パン屋	[f] Bäckerei(en)
火	[n] Feuer(-)
ピアノ	[n] Klavier(e)
比較する	vergleichen
東	[m] Osten, Ost
東アジア	Ostasien
東ヨーロッパ	Osteuropa
光	[n] Licht(er)
ひき受ける	übernehmen

引き出す	heraus·ziehen
引き出す（お金を）	ab·heben
引く	ziehen
低い	niedrig
ピクニック	[n] Picknick(s)
ヒゲ	[m] Bart(Bärte)
ヒゲそり	[m] Rasierapparat(e)
飛行機	[n] Flugzeug(e)
膝	[n] Knie(-)
ビザ	[n] Visum(Visa)
肘	[m] Ellenbogen(-)
美術	[pl] Künste
美術館	[n] Kunstmuseum(-museen)
秘書（男）	[m] Sekretär(e)
秘書（女）	[f] Sekretärin(nen)
非常口	[m] Notausgang(-gänge)
翡翠	[f] Jade
日付	[n] Datum(Daten)
左に	links
左の	link
引っ越す	[s] um·ziehen
必要とする	gebrauchen
ビデオデッキ	[m] Videorecorder(-)
ビデオテープ	[f] Videokassette(n)
ひどい	grausam
等しい	gleich
ひとりっ子	[n] Einzelkind(er)
一人で	allein
ビニール	[n] Plastik(s)
ビニール袋	[f] Plastiktüte(n)
避妊する	verhüten
避妊薬	[n] Verhütungsmittel
日の入り	[m] Sonnenuntergang(-gänge)
日の出	[m] Sonnenaufgang(-gänge)
皮膚	[f] Haut(Häute)
皮膚科医（男）	[m] Hautarzt(-ärzte)
皮膚科医（女）	[f] Hautärztin(nen)
ピーマン	[f] Paprika(s)
暇	frei, nichts zu tun haben
暇がない	keine Zeit haben
秘密	[n] Geheimnis(se)
秘密に	insgeheim
秘密にする	verheimlichen
日焼け	[m] Sonnenbrand
日焼け止め	[f] Sonnencreme(s)
費用	[pl] Kosten
秒	[f] Sekunde(n)
美容院	[m] Frisiersalon(s)
美容師（男）	[m] Friseur(e)
美容師（女）	[f] Friseuse(n)
病院	[n] Krankenhaus(-häuser)
病気	[f] Krankheit(en)
病気の	krank
表現する	aus·drücken
標準	[m] Standard(s)
比率	[n] Verhältnis(se)
昼	[m] Mittag
ビル	[n] Hochhaus(-häuser)
ビール	[n] Bier(e)
生ビール	Bier vom Fass
ビール醸造所	[f] Brauerei
ビール醸造者	[m] Brauer(-)
ビールを醸造する	.brauen
昼休み	[f] Mittagspause(n)
ヒレ肉	[n] Filet(s)
広い（広さ）	groß
広い（幅）	breit
広げる（広さ）	vergrößern
広げる（幅）	verbreitern
広場	[m] Platz(Plätze)
ビン	[f] Flasche(n)
敏感	empfindlich
ピンク	rosa
貧血	[f] Anämie
品質	[f] Qualität(en)
ヒンズー教	der Hinduismus
ヒンズー教徒	[m] Hindu(s)
ピンチ	im Notfall
貧乏な	arm
ファスナー	[m] Reißverschluss(-schlüsse)
ファックス	[n] Fax(e)
ファッション	[f] Mode
フィリピン	die Philippinen
フィリピン人（男）	[m] Philippine(n)
フィリピン人（女）	[f] Philippinin(en)
フィリピンの	.philippinisch
フィルム	[m] Film(e)
夫婦	[n] Ehepaar(e)
封筒	[m] Umschlag(-schläge)
不運	[n] Pech
なんて不運な！	So ein Pech!
笛	[f] Flöte(n)
フェリー	[f] Autofähre(n)
ふえる	zu·nehmen
フォーク（食器）	[f] Gabel(n)
フォーマル	formell
部下	der/die Untergebene*
深い	tief
不快な	unangenehm
不快な（ものすごく）	beschissen
不可能	unmöglich
服	[pl] Kleider
複雑	kompliziert
腹痛	[pl] Bauchschmerzen
含めて（～を）	inklusive ~²
不景気	[f] Flaute(n)
不幸な	unglücklich
不在である	abwesend sein
ふざけるな！	Mach kein Quatsch!
不思議な	merkwürdig
侮辱する	beleidigen
婦人警官	[f] Polizistin(nen)
不親切	unfreundlich
防ぐ（敵から）	verteidigen
防ぐ（保護）	schützen
防ぐ（警戒）	hüten
フタ	[m]Deckel(-)
ブタ	[f] Schwein(e)
オスブタ	[m] Eber(-)
メスブタ	[f] Sau(Saüe)
ブタ肉	[n] Schweinefleisch
舞台	[f] Bühne(n)
ふたたび	noch einmal, wieder
部長（男）	[m] Abteilungsleiter(-)
部長（女）	[f] Abteilungsleiterin(nen)
普通に	normalerweise
2日（ふつか）	der zweite
物価	[pl] Preise
～にぶつかる	sich an ~³ stoßen
二日酔い	einen Kater haben
仏教	der Buddhismus
仏教徒	[m] Buddhist(en)
仏像	[f] Buddhastatue(n)
ブドウ	[f] Traube(n)
不動産	[pl] Immobilien
不動産業者	[m] Immobilienmakler(-)
太った	dick
太る	zu·nehmen
船便で	per Schiff
船	[n] Schiff(e)
船に酔った	seekrank
部分	[m] Teil(e)
部分的に	teilweise
不便	unpraktisch
不法の	illegal
不法入国	die illegale Einwanderung
不法滞在	der illegale Aufenthalt
不眠症	[f] Schlaflosigkeit
ブーム	[m] Boom
ふやす	vermehren
冬	[m] Winter(-)
フライパン	[f] Pfanne(n)
ブラウス	[f] Bluse(n)
ブラシ	[f] Bürste(n)
ブラジャー	[m] BH(s)
プラスチック	[n] Plastik(s)
フラッシュ	[m] Blitz(e)
プラチナ	[n] Platin
フランス	Frankreich
フランス語	Französisch
フランス人（男）	[m] Franzose(n)
フランス人（女）	[f] Französin(nen)
フランスの	französisch
古い	alt
古着	die gebrauchten Kleider
ブレスレット	[n] Armband(-bänder)
プレゼント	[n] Geschenk(e)
風呂	[n] Bad(Bäder)
風呂場	[n] Badezimmer(-)
プロ	[m] Profi(s)
プログラム	[n] Programm(e)
プロテスタント	[m] Protestantismus
プロテスタント信者	[m] Protestant(en)
プロテスタントの	.protestantisch
フロント	[f] Rezeption(en)
糞	[m] Mist
～分（時間）	[f] Minute(n)
雰囲気	[f] Stimmung(en), [f] Atmosphäre(n)
文化	[f] Kultur(en)
文学	[f] Literatur
文語	[f] Schriftsprache(n)
文章	[m] Aufsatz(-sätze)
文法	[f] Grammatik(en)
ヘアスタイル	[f] Frisur(en)
ヘアスプレー	[n] Haarspray(s)
平均	[m] Durchschnitt(e)
平均的な	durchschnittlich
兵士	[m] Soldat(en)
閉店する	das Geschäft schließen
平和	[m] Frieden
平和な	friedlich
ベーコン	[m] Speck
ページ	[f] Seite(n)
へそ	[m] Nabel(-)
下手	ungeschickt
ペット	[n] Haustier(e)
ベッド	[n] Bett(en)
ベトナム	Vietnam
ベトナム語	Vietnamesisch
ベトナム人（男）	[m] Vietnamese(n)
ベトナム人（女）	[f] Vietnamesin(nen)
ベトナムの	vietnamesisch
ヘビ	[f] Schlange(n)
部屋	[n] Zimmer(-)
減る	ab·nehmen
ベルト	[m] Gürtel(-)
弁解	[f] Entschuldigung(en)
勉強する	lernen
偏見	[n] Vorurteil(e)
変更する	ändern

弁護士（男）	[m] Rechtsanwalt(-änwalte)
弁護士（女）	[f] Rechtsanwältin(nen)
返事	[f] Antwort(en)
弁償する	entschädigen
変態的な	pervers
べんとう	[m] Vesper(-)
ヘンな	komisch
便秘	[f] Verstopfung(en)
返品する	zurück･geben
便利な	praktisch
貿易	[m] Handel
方言	[m] Dialekt(e)
方向	[f] Richtung(en)
防止	[f] Verbeugung(en)
帽子（縁あり）	[m] Hut(Hute)
帽子（縁なし）	[f] Mütze(n)
宝石	[n] Juwel(en)
宝石店	[m] Juwelier(e)
放送（ラジオ）	[f] Rundfunksendung(en)
放送（テレビ）	[f] Fernsehsendung(en)
放送する	senden
方法	[f] Methode(n)
法律	[n] Gesetz(e)
ほかの	andere
牧師	[m] Pfarrer(-)
ポケット	[f] Tasche(n)
保険	[f] Versicherung(en)
保険会社	[f] Versicherungsgesellschaft(en)
保険に入っている	.versichert sein
保護	[m] Schutz
～から保護する	vor ~³ schützen
母国	[n] Vaterland
母国語	[f] Muttersprache(n)
埃	[m] Staub(Stäube)
埃だらけの	staubig
誇り（～を）	Stolz (auf ~)
星	[m] Stern(e)
欲しい	gern hätten, möchten
私は～が欲しい	Ich hätte gern ~
私は～欲しい	Ich möchte ~
補償	[m] Schadenersatz
保証する	versichern
保証金	[f] Kaution(en)
保証書	[m] Garantieschein(e)
保証人	[m] Garant(en)
干す	trocknen
ポスト	[m] Briefkasten(-kästen)
細い	dünn
細い（幅）	schmal
ボタン	[m] Knopf (Knöpfe)
ホテル	[n] Hotel(s)
ボート	[n] Boot(e)
歩道	[m] Gehsteig(e)
ほとんど	fast
ほとんど全部	fast alle
ほとんどない	kaum
骨	[m] Knochen(-)
頬	[f] Wange(n)
微笑み	[n] Lächeln
微笑む	lächeln
誉める	loben
ボランティア（人）	ein freiwilliger Helfer
掘る	graben
ポルトガル	Portugal
ポルトガル語	.Portugiesisch
ポルトガル人（男）	[m] Portugiese(n)
ポルトガル人（女）	[f] Portugiesin(nen)
ポルトガルの	.portugiesisch
ボールペン	[m] Kuli(s)

惚れる（～に）	sich (in ~) verlieben
本	[n] Buch(Bücher)
本気	im Ernst
香港	Hongkong
本当の	wirklich, wahr, echt
本当は	eigentlich
本物の	echt
本屋	[f] Buchhandlung(en)
翻訳する	übersetzen

ま 行

毎（回、日など）je
毎回	jedes Mal
毎月	jeden Monat
毎日	jeden Tag
前に	vorn
～の前に、の	vor ~³
前金	[f] Vorauszahlung(en)
前払い	[f] Vorauszahlung(en)
曲がる	[s]ab･biegen
巻き包む	wickeln
巻く	rollen
まくら	[f] Kissen(-), [f] Kopfkissen(-)
マグロ	[m] Thunfisch(e)
負ける	verlieren
曲げる	biegen
孫	[n] Enkelkind(-kinder)
マジ？	Im Ernst?
まじめな	fleißig
まずい（食物）	unappetitlich
貧しい	arm
まだ～ある	noch
まだ～ない	noch nicht
待合室	[m] Warteraum(-räume)
待ち合わせ	[f] Verabredung(en)
～と待ち合わせる	.sich mit ~³ verabreden
間違い	[m] Fehler(-)
間違った	falsch
～を待つ	auf ~ warten
マッサージ	[f] Massage(n)
マッサージする	massieren
まっすぐな	gerade
まっすぐに（方向）	geradeaus
マッチ	[n] Streichholz(-hölzer)
祭り	[n] Fest(e)
～まで	bis
～まで（場所）	bis zu ~³
～まで（地名）	bis nach ~
窓	[n] Fenster(-)
間に合う	[s] rechtzeitig an･kommen
マニキュア	[m] Nagellack(e)
真似する	nach･machen
まもなく	bald
守る（警備）	bewachen
守る（防御）	verteidigen
守る（保護）	schützen
守る（約束を）	halten
豆	[f] Bohne(n)
麻薬	[n] Rauschgift(e), [pl] Drogen
眉	[f] Augenbraue(n)
迷う（道に）	[s] sich verlaufen
迷う（選択に）	sich nicht entscheiden
丸い	rund
まるで～ない	gar nicht ~
まるで～の様	wie ~
マレーシア	Malaysia
マレーシア語	.Malaysisch
マレーシア人（男）	Malaysier(-)
マレーシア人（女）	Malaysierin(nen)
マレーシアの	.malaysisch

回す	drehen
万	zehntausend
満員	ausverkauft, voll
マンガ	[pl] Comics
～に満足している	..mit ~³ zufrieden
真ん中	die Mitte
～の真ん中に、の	.in der Mitte ~
満腹	satt, voll
実	[f] Frucht(Früchte)
見送る	bringen, begleiten
磨く（歯、靴など）	putzen
磨く（ワックスで）	polieren
右に	rechts
右の	recht
未婚	ledig
ミサ	[f] Messe(n)
岬	[n] Kap(s)
短い	kurz
水	[n] Wasser
水色の	hellblau
湖	[m] See(n)
水着	[m] Badeanzug(-züge)
水着ズボン	[f] Badehose(n)
みずたまり	[f] Pfütze(n)
店（小さな）	[m] Laden(Läden)
店（大きな）	[n] Geschäft(e)
見せる	zeigen
見せて！	Zeig's mir mal!
見せてください	Zeigen Sie es mir, bitte.
道	[f] Straße(n)
道（小道）	[m] Weg(e)
3日（みっか）	.der dritte
見つける	finden
見積り	[m] Kostenvoranschlag(-schläge)
見積もる	schätzen
密輸する	schmuggeln
認める（気付く）	erkennen, fest･stellen
認める（承認）	genehmigen
緑色	grün
皆（人）	alle
皆（物）	alles
港	[m] Hafen(Häfen)
港町	[f] Hafenstadt(-städte)
南	Süden, Süd
南の	südlich
見習い	[m] Lehrling(e), [m]Azubi(s)
みにくい	hässlich, schrecklich
ミネラルウォーター	[n] Mineralwasser
（炭酸入り）	[m] Sprudel(-)
身分証明書	[m] Personalausweis(e)
見本	[n] Muster(-)
耳	[n] Ohr(en)
脈拍	[m] Pulsschlag(-schläge)
みやげ	[n] Souvenir(s)
ミャンマー	Myanmar
明晩	morgen Abend
未来	[f] Zukunft
未来の	künftige
魅力的な	reizvoll, attraktive
見る	sehen, schauen, gucken
見て！	Guck mal!
見てください！	Schauen Sie mal da!
ミルク	[f] Milch
民芸品	[f] Volkskunst
民主主義	[f] Demokratie(n)
民主主義的な	.demokratisch
民族	[n] Volk(Völker)
6日（むいか）	.der sechste
無意味な	unsinnig
無意識に	unbewusst

迎えに行く	ab･holen
迎える	empfangen
昔	vor langer Zeit
昔の、は～	früher
無効な、の	ungültig
ムシ	[n] Insekt(en)
ムシ刺され	[m] Insektenstich
ムシ歯	ein schlechter Zahn
無職の	arbeitslos
むずかしい	schwierig
息子	[m] Sohn(Söhne)
結ぶ	binden, verbinden
無駄遣いする	verschwenden
夢中である（～に）	verrückt (nach ~³) sein
無賃乗車する	schwarzfahren
胸	[f] Brust(Brüste)
村	[n] Dorf(Dörfer)
紫	lila
ムリな	unmöglich
無料の	kostenlos
目	[f] Auge(n)
名刺	[f] Visitenkarte(n)
名所	[pl] Sehenswürdigkeiten
迷信	[m] Aberglaube
迷惑	[f] Belästigung(en)
迷惑ですか？	Belästige ich Sie/dich?
迷惑な	lästig
メガネ	[f] Brille(n)
目薬	[pl] Augentropfen
目指す	zielen
メス	[n] Weibchen
めずらしい	selten
めったに～ない	selten
目玉焼き	[n] Spiegelei
メートル	[m] Meter(-)
メニュー	[f] Speisekarte
めまいがする	（私は）Mir ist schwindlig.
メールアドレス	[f] Mailadresse(n)
面（仮面）	[f] Maske(n)
綿	[f] Baumwolle(n)
麺	[pl] Nudeln
免税の	steuerfrei
面積	[f] Fläche(n)
めんどくさい	zu umständlich
～も	auch
もう～した	schon
申し込み	[f] Anmeldung(en)
申し込む	sich an･melden
申し訳ありません	Es tut mir leid.
儲ける	Gewinn machen
盲腸炎	[f] Blinddarmentzündung(en)
毛布	[f] Wolldecke(n)
燃える	brennen
目的	[n] Ziel(e)
目的地	[n] Ziel(e)
目標	[n] Ziel(e)
木曜日	[m] Donnerstag(e),{Do.}
もし～ならば	wenn
文字	[n] Schriftzeichen(-)
もしかすると	eventuell
もしもし	Hallo!
もち米	[m] Klebreis
持ち主（男）	[m] Inhaber(-)
持ち主（女）	[f] Inhaberin(nen)
もちろん	selbstverständlich
もったいない	zu schade
持っている	haben
（今手元に）	dabei haben
持っていく	mit･nehmen
持ってくる	mit･bringen
もてなす	empfangen, sich um die Gäste kümmern
もっと	mehr
元～	Ex~
物	[n] Ding(e), [f] Sache(n)
模様（図柄）	[n] Muster(-)
森	[m] Wald(Wälder)
もらう	bekommen, kriegen
門	[n] Tor(e)
問題（problem）	[n] Problem(e)
問題ない（No problem）	Kein Problem!

や　行

八百屋	[m] Gemüseladen(-läden)
焼き増し	[m] Abzug(Abzüge)
野球	[m] Baseball
約（およそ）	etwa, ungefähr, Circa{c.a.}
焼く	verbrennen
焼く（料理）	backen
約束	[f] Versprechung(en)
約束する	versprechen
約束（待ち合わせ）	[f] Verabredung(en)
～と約束する	sich mit ~³ verabreden
役に立つ	nützlich
ヤケド	[f] Verbrennung(en)
～をやけどする	sich³ ~ verbrennen
野菜	[n] Gemüse(-)
優しい	nett, freundlich
易しい	leicht
ヤシ	[f] Kokospalme(n)
ヤシの実	[f] Kokosnuss(-nüsse)
安い	billig
安売り	[m] Ausverkauf(-käufe)
休み（休憩）	[f] Pause
休む	eine Pause machen
休み（学校休暇）	[pl] Ferien
休み（仕事休暇）	[m] Urlaub(e)
休む（休日をとる）	frei haben
休む（欠席、欠勤）	fehlen
休む（休息）	sich aus･ruhen
やせた	dünn
やせきった	abgemagert
やせる	ab･nehmen
屋台	[m] Stand(Stände)
家賃	[f] Miete(n)
薬局	[f] Apotheke(n)
やっと	endlich
雇う	ein･stellen
雇い主	[m] Arbeitsgeber(-)
破る	zerreißen
山	[m] Berg(e)
ヤモリ	[m] Gecko(s)
やり終える	erledigen
やり遂げる	schaffen
やわらかい	weich, sanft
やわらかい（肉が）	zart
湯	heißes Wasser
ゆううつな	melancholisch
遊園地	[m] Freizeitpark(s)
有害な	schädlich
有効期限	[f] Gültigkeitsdauer
有効である	gelten
有効に使う	aus･nutzen
優勝する	Titel holen
優勝者（男）	[m] Meister(-)
優勝者（女）	[f] Meisterin(nen)
友情	[f] Freundschaft(en)
夕食	[n] Abendessen(-)
郵送する	schicken
郵便、郵便局	[f] Post(en)
郵便番号	[f] Postleitzahl(en)
郵便料金	[n] Porto(s)
有名な	berühmt
有料	gebührenpflichtig
床	[m] Fußboden(-böden)
ゆかい	lustig
雪	[m] Schnee
雪が降る	Es schneit.
輸出	[m] Export
ゆたかな	reich
ユダヤ人（男）	[m]Jude(n)
ユダヤ人（女）	[f]Judin(nen)
ユダヤ人の	judisch
ゆっくり	langsam
ゆっくり話して！	Bitte, sprechen Sie langsam.
ゆでる	kochen
ユニフォーム（スポーツ）	[n]Trikot(s)
輸入	[m] Import
指	[m] Finger(-)
指輪	[m] Ring(e)
夢	[m] Traum(Träume)
～の夢を見る	von ~³ träumen
ユーモア	[m] Humor
良い	gut
用意	[f] Vorbereitung(en)
用意する	vor･bereiten
8日（ようか）	der achte
用がある	etwas zu tun haben
用事	[f] Angelegenheit(en)
～を用心する	auf ~ auf･passen
様子（外見）	[n] Aussehen
様子（状況）	[m] Zustand(Zustände)
ようやく	endlich
余暇	[f] Freizeit
預金する	ein･zahlen
横	[f] Breite
汚す	schmutzig machen
～の横に	neben ~³
横になる	sich hin･legen
汚れ	[m] Schmutz
汚れている	schmutzig, dreckig
予算	[m] Haushaltsplan(-pläne)
よじ登る	klettern
予想	[f] Vermutung(en)
予想する	vermuten
4日（よっか）	der vierte
欲求	[f] Lust(Lüste)
ヨット	[n] Segelboot(e)
酔っぱらっている	dicht
予定	[m] Plan(Pläne)
予定がある	vor･haben
夜中	[f] Nacht(Nächte)
夜中に	in der Nacht
予備	[f] Reserve(n)
呼ぶ	rufen
予報	[f] Prognose(n), [f] Vorhersage(n)
予防（～に対して）	[f] Vorbeugung(en) (gegen ~)
予防する	vor･beugen
予防注射	[f] Impfung(en)
読む	lesen
予約する	reservieren, buchen
夜	[m] Abend
夜に	abends
喜び	[f] Freude
喜び（人の不幸を）	[f] Schadensfreude
～を喜ぶ	sich über ~ freuen
～によろしく伝えて下さい	Sagen Sie ~ schönen Gruß von mir.

ヨーロッパ.........Europa
　ヨーロッパ人（男）...[m] Europäer(-)
　ヨーロッパ人（女）...[f] Europäerin(nen)
　ヨーロッパの .europäisch
弱い ....schwach
4 ....vier
4番目（の～）....der/die/das vierte (~)

ら行

来月 ....der nächste Monat
ライター ....[n] Feuerzeug(e)
来年 ....das nächstes Jahr
ライバル（男）...[m] Konkurrent(en)
ライバル（女）...[f] Konkurrentin(nen)
ライム ....[f] Limone(n)
楽な ....bequem
ラジオ ....[n] Radio(s)
ラッキー ....[n] Glück
超ラッキー！ .....Schwein gehabt!
ラッキーだね！..Glück gehabt!
理解がある ....Verständnis haben
理解する ....verstehen, begreifen
陸 ....[n] Land(Länder)
離婚 ....[f] Scheidung(en)
　～と離婚する .
　　　　　 sich von ~³ scheiden lassen
　離婚している ..... geschieden
　理想 ....[n] Ideal
　理想的な ....ideal
　立派な ....großartig
　理不尽な ....ungerecht
　理由 ....[m] Grund(Gründe)
　留学 ....[n] Auslandsstudium
　　留学生 ....ein ausländischer Student
　流行している .....in
　量 ....[f] Menge
　寮 ....[n] Wohnheim(e)
　両替する ....Geld wechseln
　料金 ....[pl] Gebühren, [m] Tarif(e)
　領事館 ....[n] Konsulat(e)
　日本領事館 ......Japanisches Konsulat
　領収書 ....[f] Quittung(en)
　領土 ....[n] Territorium(Territorien)
　両方 ....beides, beide
　料理 ....[n] Kochen
　料理する ....kochen
　旅券番号 ....[f] Ausweisnummer(n)
　旅行 ....[f] Reise(n)
　　旅行会社 ....[n] Reisebüro(s)
　　旅行者 ....[m] Reisende(n)
　リンゴ ....[m] Apfel(Apfel)
　臨時の～ ....sonder~
　留守である ......nicht zu Hause sein
　ルームメイト（男）[m] Mitbewohner(-)
　ルームメイト（女）[f] Mitbewohnerin(nen)
　例 ....[n] Beispiel(e)
　霊 ....[m] Geist(er)
　礼儀正しい ....anständig
　冷蔵庫 ....[m] Kühlschrank(-schränke)
　冷房 ....[f] Klimaanlage(n)
　歴史 ....[f] Geschichte(n)
　　歴史的な ....historisch
　レストラン ....[n] Restaurant(s)
　列車 ....[m] Zug(Züge)
　　列車で行く .....mit dem Zug fahren
　レート ....[m] Wechselkurs(e)
　レバー（肝臓）....[f] Leber(n)
　レバー（機械の）[m] Hebel(-)
　練習する ....üben
　レンタカー ....[m] Mietwagen

レントゲン ....[pl] Röntgenstrahlungen
連絡する ....sich bei ~³ melden
連絡する（コンタクト）
　　　　　 sich in Verbindung setzen
連絡する（知らせ）benachrichtigen
老人（男） ....ein alter Mann
老人（女） ....eine alte Frau
老人（総称） ....alte Leute
ロウソク ....[f] Kerze(n)
労働者（男） ....[m] Arbeiter(-)
労働者（女） ....[f] Arbeiterin(nen)
6 ....sechs
録音する ....auf･nehmen
6月 ....[m] Juni
6番目の(～)....der/die/das sechste (~)
ロシア ....Russland
ロシア語 ....Russisch
ロシア人（男）...[m] Russe(n)
ロシア人（女）...[f] Russin(nen)
ロシアの ....russisch
ロビー（ホテルなど）[f] Eingangshalle(n)
ロブスター ....(m) Hummer
ロマンティック..romantisch
ローン ....[n] Darlehen(-)

わ行

輪 ....[m] Kreis(e)
わいせつな ....obszön
わいろ ....[f] Bestechung(en)
ワイパー ....[m] Scheibenwischer(-)
ワイン ....[m] Wein(e)
　赤ワイン ....[m] Rotwein(e)
　白ワイン ....[m] Weißwein(e)
ワイングラス ....[n] Weinglas(-gläser)
若い ....jung
　若者 ....junge Leute
沸かす ....kochen
わがまま ....egoistisch
分かる ....verstehen
　分かりにくい..kompliziert
別れる（～と）
　　　　　 sich (von~³) verabschieden
別れる（～と）（男女が）.
　　　　　 sich (von ~³) trennen
分ける ....teilen
輪ゴム ....[n] Gummiband(-bänder)
わざと ....mit Absicht, absichtlich
わざわざ ....extra
煩わしい ....lästig
忘れる ....vergessen
　忘れないで！.Vergiss mich nicht!
私 ....ich
私たち ....wir
渡す ....geben
渡る ....überqueren
ワニ ....[n] Krokodil(e)
笑う ....lachen
　にこにこ笑う ...lächeln
　にたにた笑う .....grinsen
割引き ....[f] Ermäßigung(en)
割る（分割） ....teilen
割る（破壊） ....kaputt･machen
割る（割り算）....teilen
悪い ....schlecht, böse
湾 ....[m] Golf(e), [f] Bucht(en)

第4部

ドイツ語→日本語
単語集
（キーワード別）

"第4部"では約1500の単語を収録しています。
旅行者にとって必要度の高い言葉、深い内容を
理解するための言葉を厳選しています。
"第1部"には収録できなかった言葉をまとめて
ありますので合わせて使用するとさらに効果的です。

> **単語選びの基準**
> 実際に旅行先でドイツ語を読む必要がある場面を優先に、パンフレットやホームページなどで使用されている単語を収録。

独和単語集 1～2

- 1 個人データの記入 (116)
- 2 宿泊 (116)
- 3 主な職業 (117)
- 4 主な国 (118)
- 5 ドイツの主な都市・地域 (118)
- 6 乗り物 (119)
- 7 レンタカー (120)
- 8 標識 (120)
- 9 観光 (120)
- 10 食べ物＆メニュー (121)
- 11 飲み物 (123)
- 12 ワイン (123)
- 13 接続詞、接続を意味する副詞 (124)

1 個人データの記入

Adresse(n) .....[f] 住所
Alter ....[n] 年齢
Anschrift(en)..[f] 住所、連絡先
aus･füllen ...... 記入する
Ausweis(e).....[m] 身分証明書
E-Mail(s) ....[f] E・メール
Familienname(n)...[f] 姓
Familienstand [m] 結婚の有無
Formular(e)....[n] 記入カード、申告書
Geburtsdatum(-daten).[n] 生年月日
Geburtsland(-länder)[n] 出世国
Geburtsort(e) ..[m] 出生地
Handy(s)........[n] 携帯
ledig .... 未婚
Nachname(n).[m] 姓
Name(n).........[m] 氏名、名前
Nationalität(en)
　　　　　　[f] 国籍　（日本人はjapanisch）
Nr..................... 番号
Passnummer(n).[f] パスポート番号
PLZ................. 郵便番号
Reisepass(-pässe)[m] パスポート
Religion(en)...[f] 宗教
Staatsangehörigkeit(en) .[f] 国籍
Telefon(e) ......[n] 電話
Unterlage(n)....[f] 書類
unterschreiben ..サインする
Unterschrift(en) .[f] サイン、署名
verheiratet...... 既婚
Vorname(n)....[m] 名、ファーストネーム
Wohnort(e).....[m] 居住地
Wohnsitz(e) ...[m] 居住地

2 宿泊

ab･reisen....... 出発する
Abendbrot .....[n] 夕食（パン他）
Abreise(n) ......[f] 出発
Abreisetag .....[m] 出発日
Aktivität(en) [f]..アクティビティ
alle .... 全ての
am Haus .... 家の側
Ankunftszeit(en) [f] 到着時間
Anmeldung(en)..[f] 申し込み
Anreisetag ....[m] 到着日
Anschrift(en)..[f] 住所、連絡先
auf Anfrage ... 問い合わせにより
auf Wunsch ... 希望により
Aufenthaltsraum(-räume)[m] だんらん室
aus･checken..チェックアウトする
aus･geben .... 提供する
Ausflug(-flüge)...[m] 小旅行、ハイキング
ausgebucht..... 全て予約済み
Bad(Bäder) ....[n] 風呂
Badetuch(-tücher).[n] バスタオル
Balkon(s) ....[m] バルコニー
Beauty-Farm(en) ..[f]
　　　　　　　　　ビューティーファーム
Bedingung(en)...[f] 条件
befinden, sich ある、いる
belegt............. 満室
besetzt........... ふさがっている
Bett(en).......... [n] ベット
Bettenzahl(en)...[f] ベット数
Bettwäsche ...[f] シーツ、カバー
Campingplatz(-plätze) .[m] キャンプ場
Dampfbad (-bäder)..[n] 蒸気風呂
Doppelzimmer(-)..[n] ダブルルーム
Dreibettzimmer(-)..[n] 3ベットの部屋
durchgeführt .. 遂行された
Dusche (n)......[f] シャワー
Economy .... 格安
eigene .... 私有の、自分の
ein･checken...チェックインする
Einbettzimmer(-)[n] シングルルーム
Einlass(Einlässe) ..[m] 入場
Einrichtung(en)..[f] 設備
Einzelzimmer(-) .[n] シングルルーム
Entfernung (von ~) (～からの）距離
Ermäßigung(en) [f] 割引
Etage(n).........[f] 階
Etagenbett(en) ...[n] 二段ベット
Etagendusche ...階毎の共同シャワー
Etagen-WC ...階毎の共同トイレ
Fahrradverleih(e) ..[m] 貸し自転車
Fahrstuhl(-stühle) ..[m] エレベーター
Fax................. [m] ファックス
Ferienwohnung(en)..[f] 休暇用アパート
Fernsehraum(-räume).[m] テレビ観賞室
Flur(e).............[m] 廊下
Fön(e)............[m] ドライヤー
Fotokopierer ..[m] コピー機
Frühstück(e) ..[n] 朝食
Frühstücksbüffet(s) ..[n] 朝食ビュッフェ
Frühstücksraum(-räume) [m] 朝食室
Fußballplatz(-plätze) [m] サッカー場
Garage(n) ......[f] ガレージ
Gasthof (-höfe) ..[m] 宿屋
gegen Aufpreis..割り増し料金により
gemeinsam...共同の
geöffnet .... 開いている
gestattet sein 許可されている
Getränkeautomat(en)..[m]
　　　　　　　　　　　飲物の自動販売機
Grillplatz(-plätze) ..[m] グリル場
grundsätzlich ..基本的に
Halbpension(en) [f] 二食付き
Hallenbad (-bäder).[n] 屋内プール
Handtuch(-tücher).[n] ハンドタオル
Hauptsaison(s) ..[f] シーズン中
Hausordnung(en)..[f] 建物内規則
Hausschlüssel (-)..[m] 建物のカギ
Hotel(s) ....[n] ホテル
inkl. ~ .... ～込み
Innenhof (-höfe)..[m] 中庭
insgesamt ..... 計、総合
internationale Küche 世界の料理
Internet-Café(s) [n] インターネットカフェ
Internet-Zugang(-gänge) [m]
　　　　　　　　　インターネット接続口
Jugendgästehaus(-häuser)[n]
　　　　　　　　　ユースゲストハウス
Jugendherberge (n) .[f] ユースホステル
Kabel-TV ....[n] ケーブルテレビ
kaltes Wasser ...水
Kicker (-)........[m] サッカーゲーム
Kinderbett(en)[n] 子供用ベット
Küche(n)........[f]キッチン、料理
Kühlschrank (-schränke) .[m] 冷蔵庫
Kurgebiet(e)...[n] 温泉地域
Lage (n)..........[f] 位置
Lagerfeuer(-)..[n] キャンプファイヤー
Lebensjahr(e) [n] 年齢
Leihgebühr.....[f] レンタル料
Lunchpaket (e) .[n] 昼食
Luxus ....[m] 豪華
Mahlzeit(en)...[f] 食事
Minibar(s).......[f] ミニバー
Minigolfanlage(n) .[f] ミニゴルフ場
mit ~ .... ～付き
Mitglied(er).....[n] 会員
Modemanschluss(-anschlüsse) [m]
　　　　　　　　　　　　モデムの接続
möglich .... 可能
Nachfrage(n)..[f] 問い合わせ
Nachsaison (s) ..[f] シーズン後
Nachtruhe......[f] 夜間静か
Notausgang(-gänge) [m] 非常口
Notfall(-fälle) ..[m] 非常時、緊急事態
nur für Gäste des Hauses ..宿泊客のみ
oder .... または、もしくは
Öffnungszeit (en) [f] オープン時間
ohne ~ .... ～なし
Parkplatz(-plätze) .[m] 駐車場
Personenanzahl(en).[f] 人数
Portier(s).........[m] ドアマン
Preis(e)...........[m] 料金
preiswert .... 格安

Privatzimmer(-)..[n] プライベートルーム
pro ~ ....〜につき
pro Person und Nacht .一人、一晩につき
Programm(e) .[n] プログラム
Radio (s)........[n] ラジオ
Radiowecker(-)..[m] ラジオ付き目覚し
regionale Küche 地方の料理
Reinigung(en)[f] クリーニング
Restaurant(s).[n] レストラン
Restaurantgarten(-gärten) .[m] レストランの庭
Rezeption (en)...[f] 受け付け、レセプション
Rezeptionszeit(en)[f] 受け付け時間
ruhige Lage, die 静かな位置
Safe ....[m] セーフボックス
Sanitätsraum(-räme)[m] 医務室
SAT-TV ....[n] サテライトテレビ
Sauna (s).......[f] サウナ
Schlafraum(-räume) .[m]寝室
Schwimmbad(-bäder) ..[n]プール
Seeblick(e) ....[m] 湖／海の展望
Seife(n)........[f] 石鹸
selbst ....個人（で）、自分で
Shampoo(s)...[n] シャンプー
Solarium ....[n] 日焼けサロン

Speisesaal(-säle)..[m] 食堂
Spülung(en)...[f] リンス
Standard ....[m] 標準
Standardklasse .[f] 標準クラス
Stern(e) ....[m] 星
Süßigkeitenautomat(en) .[m] お菓子の自動販売機
täglich ....毎日
teilweise ....一部
Telefon(e).......[n] 電話
Terrasse(n) ......[f] テラス
Tischtennisplatte(n) .[f] 卓球台
Treppe(n)......[f] 階段
Übernachtung(en).[f] 宿泊
Übernachtungsmöglichkeit(en).[f] 宿泊の可能性
und.................と
untersagt........禁じられている
Veranstaltung(en) [f] 行事、催し
Verkauf (Verkäufe)...[m] 販売
Verkehrsanbindung(en) ..[f] 交通の便
verlängern......延長する
verlassen ....立ち去る
Verlust (e) ....[m] 損失
Verpflegung(en) [f] 賄い
verpflichtet ....義務づけられている

Vierbettzimmer(-)..[n] ４ベットの部屋
Volleyballplatz(-plätze) [m] バレーボール場
Vollpension(en) ..[f] 三食付き
vorhanden sein .ある、存在する
Vorsaison(s) ..[f] シーズン前
warmes Abendessen ..温かい夕食
warmes Wasser 湯
Warmspeise (n).[f] 温かい食事
Waschbecken(-) [f] 洗面器
Waschmaschine(n) ..[f] 洗濯機
Waschraum(-räume)[m] 洗面所
WC(-)..............[n] トイレ
Zelt(e) ....[m] キャンプ
Zeltplatz(-plätze)...[m] キャンプ場
zentrale Lage 中心位置
Zimmernummer(n)[f] 部屋番号
Zimmerschlüssel (-) .[m] 部屋カギ
Zimmerservice (s).[n]ルームサービス
Zimmertelefon(e) ..[n] 室内電話
zu Verfügung gestellt .提供する
zusätzlich ......追加の、そのうえ
Zuschlag(Zuschläge)...[m] 割り増し
zweckmäßig ..寝泊まりに適した

3 主な職業

Altenpfleger(-)[m] 老人介護士（男）
Altenpflegerin(nen)...[f] 老人介護士（女）
Anwalt(e) ....[m] 弁護士（男）
Anwältin.........[f] 弁護士（女）
Apotheker(-)...[m] 薬剤師（男）
Apothekerin(nen)..[f] 薬剤師（女）
Arbeitslose*, der/die.失業者（男／女）
Arzt(Ärzte) .....[m] 医者（男）
Ärztin(nen).....[f] 医者（女）
Assistent(en)..[m] アシスタント、大学の助手（男）
Assistentin(nen) [f] アシスタント、大学の助手、（女）
Augenarzt(-ärzte)..[m] 眼科（男）
Augenärztin(nen)..[f] 眼科（女）
Bäcker(-)........[m] パン屋（男）
Bäckerin(nen) [f] パン屋（女）
Bankkauffrau(en) ..[f] 銀行員（女）
Bankkaufmann(-kaufleute).[m] 銀行員（男）
Bauarbeiter(-) [m] 建設作業員（男）
Bauarbeiterin(nen)[f]建設作業員（女）
Bauer(-) ....[m] 農耕者（男）
Bäuerin(nen)..[f] 農耕者（女）
Beamte*, der/die...公務員（男/女）
Bürokauffrau(en) ..[f] 事務員（女）
Bürokaufmann(-leute) .[m] 事務員（男）
Chemiker(-)...[m] 化学者（男）
Chemikerin(nen)[f] 化学者（女）
der/die Angestellte*..会社員（男/女）
Designer(-) .....[m] デザイナー（男）
Designerin(nen).[f] デザイナー（女）
Diplomat(en)..[m] 外交官（男）
Diplomatin(nen)..[f] 外交官（女）
Dirigent(en)....[m] 指揮者（男）
Dirigentin(nen)..[f] 指揮者（女）
Dolmetscher(-) ..[m] 通訳（男）
Dolmetscherin(nen) ..[f] 通訳（女）

Elektriker(-)....[m] 電気技師（男）
Elektrikerin(nen) [f] 電気技師（女）
Elektrotechniker(-) [m]電気技術者（男）
Elektrotechnikerin(nen)... [f]電気技術者（女）
Fahrer(-) ....[m] 運転手（男）
Fahrerin(nen)..[f] 運転手（女）
Florist(en) ......[m] フローリスト（男）
Floristin(nen)..[f] フローリスト（女）
Friseur(-) ....[m] 美容師（男）
Friseuse(n) ....[f] 美容師（女）
Gärtner(-).......[m] 庭師（男）
Gärtnerin(nen) ...[f] 庭師（女）
Geograph(en) [m]地理学者（男）
Geographin(nen) ..[f]地理学者（女）
Handwerker(-)[m] 技術者（男）
Handwerkerin(nen) ..[f] 技術者（女）
Hausfrau(en)..[f] 主婦
Hausmann(-männer)[m] 主夫
Informatiker(-) [m] 情報科学者（男）
Informatikerin(nen) ...[f] 情報科学者（女）
Ingenieur(-) ...[m] エンジニア（男）
Ingenieurin(nen) ..[f] エンジニア（女）
Journalist(en).[m] ジャーナリスト（男）
Journalistin(nen)[f] ジャーナリスト（女）
Kellner(-)........[m] ウェイター
Kellnerin(nen) [f] ウェイトレス
Kindergärtner(-).[m] 保父
Kindergärtnerin(nen) [f] 保母
Koch(Köche)..[m] コック（男）
Köchin(nen) ...[f] コック（女）
Komponist(en)...[m] 作曲家（男）
Komponistin(nen) .[f] 作曲家（女）
Krankenpfleger(-)..[m] 看護士
Krankenschwester(n) ..[f] 看護婦
Künstler(-) .....[m] 芸術家（男）
Künstlerin(nen) [f] 芸術家（女）
Landwirt(e).....[m] 農場経営者（男）

Landwirtin(nen) .[f] 農場経営者（女）
Lehrer(-).........[m] 教師（男）
Lehrerin(nen).[f] 教師（女）
Lkw-Fahrer(-).[m] トラックの運転手（男）
Lkw-Fahrerin(nen) [f] トラックの運転手（女）
Lockführer(-)..[m]運転士（電車：男）
Lockführerin(nen) ...[f]運転士（電車：女）
Maler(-) ....[m] 画家（男）
Malerin(nen)...[f] 画家（女）
Mechaniker(-) [m] メカニック（男）
Mechanikerin(nen)[f] メカニック（女）
Meister(-) ....[m] マイスター、師匠（男）
Meisterin(ne)..[f] マイスター、師匠（女）
Metzger(-) .....[m] 肉屋（男）
Metzgerin(nen) ..[f] 肉屋（女）
Musiker(-) ......[m] 音楽家（男）
Musikerin(nen) ..[f]音楽家（女）
Optiker(-) ....[m] 眼鏡屋（男）
Optikerin(nen)[f] 眼鏡屋（女）
Photograf(en).[m] カメラマン（男）
Photografin(nen)...[f] カメラマン（女）
Politiker(-) ......[m] 政治家（男）
Politikerin(nen) ..[f] 政治家（女）
Polizist(en).....[m] 警察官（男）
Polizistin(nen)[f] 婦警
Praktikant(en)[f] 研修生（男）
Praktikantin....[f] 研修生（女）
Präsident(en) .[m] 大統領（男）
Präsidentin(nen)[f] 大統領（女）
Professor(en) .[m] 教授（男）
Professorin(nen)[f] 教授（女）
Programmierer(-) ..[m] プログラマー（男）
Programmiererin(nen) . [f] プログラマー（女）
Psychiater(-) ..[m] 精神科医（男）
Psychiaterin(nen)..[f] 精神科医（女）
Psychologe(n)[m] 心理学者（男）

Psychologin(nen)..[f] 心理学者（女）
Psychotherapeut(en)　[f] 精神セラピスト（男）
Psychotherapeutin(nen) [f]精神セラピスト（女）
Rechtsanwalt(-anwälte)..[m] 弁護士（男）
Rechtsanwältin(nen) [f]弁護士（女）
Regisseur(e)..[m] 映画監督（男）
Regisseurin(nen) ..[f] 映画監督（女）
Reisebegleiter(-)[m] 添乗員（男）
Reisebegleiterin(nen) ..[f] 添乗員（女）
Rentner(-) ......[m] 年金生活者（男）
Rentnerin(nen) ..[f] 年金生活者（女）
Sänger(-) ....[m] 歌手（男）
Sängerin(nen)[f] 歌手（女）
Schaffner(-)....[m] 車掌（男）
Schaffnerin(nen)[f] 車掌（女）
Schauspieler(-)..[m] 俳優（男）
Schauspielerin(nen).[f] 女優
Sekretär(e).....[m] 秘書（男）
Sekretärin(nen) .[f] 秘書（女）
Schnitzer(-)....[m] 彫刻家（男）
Schnitzerin(nen)[f] 彫刻家（女）
Schriftsteller(-)...[m] 作家（男）
Schriftstellerin(nen)..[f] 作家（女）
Schüler(-).......[m] 生徒（男）
Schülerin(nen) ..[f] 生徒（女）
Soziologe(-)....[m] 社会学者（男）
Soziologin(nen) .[f]社会学者（女）
Student(en)....[m] 学生（男）
Studentin(nen) ..[f] 学生（女）
Taxifahrer(-)....[m] タクシー運転手(男)
Taxifahrerin(ne) .[f] タクシー運転手（女）
Techniker(-)....[m] 技術士（男）
Techniker(nen)...[f] 技術士（女）
Unternehmer(-)..[m] 実業家（男）
Unternehmerin(nen) ..[f] 実業家（女）
Verkäufer(-) ...[m] 売り子（男）
Verkäuferin(nen)...[f] 売り子（女）
Versicherungskauffrau(-en)...[f]
　　　　　　　　生命保険セールスウーマン
Versicherungskaufmann(-kaufleute)
　　　　　　[m] 生命保険セールスマン
Wahrsager(-) ..[m] 占い師（男）
Wahrsagerin(nen).[f] 占い師（女）
Wirt(e)[m]
　（バーなどの）マスター、（宿屋の）主人
Wirtin(nen)......[f] 女主人、おかみ
Zahntechniker(-)[m] 歯科技士（男）
Zahntechnikerin(nen) ..[f] 歯科技士（女）

4　主な国

Afrika ....アフリカ
Ägypten ....エジプト
Argentinien ....アルゼンチン
Amerika ....アメリカ
Arabien ....アラビア
Asien..............アジア
Australien.........オーストラリア
Belgien ....ベルギー
Bosnien ....ボスニア
Brasilien ....ブラジル
Bulgarien ....ブルガリ
Chile ....チリ
China ....中国
Dänemark......デンマーク
(die Bundesrepublik) Deutschland ..
　　　　　　ドイツ（連邦共和国）
die Niederlande .オランダ
die Schweiz ...スイス
die Türkei.......トルコ
die Vereinigten Staaten von Amerika, {die USA}..
　　　　　　アメリカ合衆国
England ....イギリス
Europa...........ヨーロッパ
Finnland.........フィンランド
Frankreich......フランス
Ghana...........ガーナ
Griechenland .ギリシア
Großbritannien ..大英帝国
Indien.............インド
Indonesien ...インドネシア
Irak................イラク
Iran................イラン
Irland............アイルランド
Israel.............イスラエル
Italien............イタリア
Japan.............日本
Jugoslawien...ユーゴスラビア
Kambodscha..カンボジア
Kamerun ....カメルーン
Kanada ....カナダ
Kenia ....ケニア
Kroatien ....クロアチア
Kuba ....キューバ
Luxemburg.....ルクセンブルク
Malaysia ....マレーシア
Marokko ....モロッコ
Mazedonien ...マケドニア
Mexiko ....メキシコ
Nepal ....ネパール
Neuseeland ...ニュージーランド
Nigeria ....ナイジェリア
Nordkorea......北朝鮮
Norwegen ......ノルウェー
Österreich .....オーストリア
Palästina........パレスチナ
Peru..............ペルー
Polen ....ポーランド
Portugal ....ポルトガル
Rumänien .....ルーマニア
Russland........ロシア
Saudi-Arabienサウジアラビア
Schottland.....スコットランド
Schweden.....スウェーデン
Singapur ....シンガポール
Slowakei ....スロヴァキア
Slowenien .....スロベニア
Spanien ....スペイン
Sri Lanka ......スリランカ
Südafrika ....南アフリカ
Südkorea ......韓国
Taiwan ....台湾
Thailand ....タイ
Tibet..............チベット
Tschechien ....チェコ
Tunesien ....チュニジア
Ungarn..........ハンガリー
Vietnam ....ベトナム
Weißrussland.ベラルーシ

5　ドイツの主な都市・地域

Aachen ....アーヘン
Augsburg ....アウグスブルク
Baden ....バーデン地方
　Badener(-)..[m] バーデン人（男）
　Badenerin(nen) .[f] バーデン人（女）
　badisch.........バーデン（風）の
Baden-Baden バーデン・バーデン
Bamberg........バンベルク
Bayern ....バイエルン地方
　Bayer(n) .....[m] バイエルン人（男）
　Bayerin(nen) ..[f] バイエルン人（女）
　bayerisch......バイエルン（風）の
Bayreuth ....バイロイト
Berlin ....ベルリン
　berliner.........ベルリン（風）の
　Berliner(-)..[m] ベルリン人（男）
　Berlinerin(nen) ..[f] ベルリン人（女）
Bodensee .....ボーデン湖
Bonn ....ボン
Bremen..........ブレーメン
Chiemsee ......キーム湖
Cottbus ....コットブス
Donau ....ドナウ川
Dortmund......ドルトムント
Dresden ....ドレスデン
Düsseldorf .....デュッセルドルフ
Eifel ....アイフェル
Eisenach........アイゼナッハ
Elbe ....エルベ川
Erfurt ....エアフルト
Erzgebirge .....エルツ山脈
Esslingen ....エスリンゲン
Franken
　　フランケン地方（バイエルン州北部）
　Franke(n) ...[m] フランケン人（男）
　Fränkin(nen) ..[f] フランケン人（女）
　fränkisch......フランケン（風）の
Frankfurt am Main フランクフルト
fränkische Albフランケン丘陵山脈
Freiburg ....フライブルグ
Friesland.........フリースランド地方（北西
　　　　　　ドイツ、オランダ国境周辺）
　Friese(n).....[m] フリースランド人(男)
　Friesin(nen)[f] フリースランド人（女）
　friesisch........フリースランド（風）の
Füssen..........フュッセン
Goslar...........ゴスラー
Göttingen......ゲッティンゲン
Halle ....ハレ
Hamburg........ハンブルク
　hamburger..ハンブルク（風）の
　Hamburger(-)..[m] ハンブルク人（男）
　Hamburgerin(nen)..[m]　ハンブルク人（女）
Hannover ....ハノーファー
Harz..............ハルツ
Heidelberg .....ハイデルベルク
Helgoland .... ヘルゴランド島（ドイツ北部）

Hessen..........ヘッセン地方	Nordsee..........北海	Sylt................ジュルト（ドイツ北部の島）
Hesse(n) ....[m] ヘッセン人（男）	Nürnberg..........ニュルンベルク	Thüringer Wald.チューリンゲンの森
Hessin(nen)[f] ヘッセン人（女）	Ostsee..........バルト海	Trier................トリアー
hessisch.....ヘッセン（風）の	Passau..........パッサウ	Tübingen........テュービンゲン
Kassel............カッセル	Potsdam ....ポツダム	Ulm ....ウルム
Kiel................キール	Regensburg...レーゲンスブルク	Weimar ....ワイマール
Koblenz..........コブレンツ	Rhein ....ライン川	Westfalen........ヴェストファーレン地方
Köln................ケルン	Rheinland ......ライン地方（北ライン沿岸）	Westfale(n) ....[m] ヴェストファーレン人（男）
Konstanz.........コンスタンツ	Rheinländer(-)[m] ライン人（男）	Westfälin(nen)...[f] ヴェストファーレン人（女）
Leipzig............ライプチッヒ	Rheinländerin(nen)..[f] ライン人（女）	westfälisch　　ヴェストファーレン（風）の
Lindau............リンダウ	rheinländisch .ライン地方（風）の	Wiesbaden......ヴィースバーデン
Lübeck............リューベック	Rostock..........ロストック	Württemberg..ヴュルテンベルク地方
Magdeburg ....マグデブルク	Rothenburg o.d. Tauber ローテンブルク	Württemberger(-)..[m]
Mainz.............マインツ	Ruhrgebiet.....ルール地方	ヴュルテンベルク人（男）
Marburg ....マーブルク	Saarland ....ザーランド地方	Württembergerin(nen)..[f]
Mecklenburg..メクレンブルク地方	Saarländer(-) ..[m] ザーランド人（男）	ヴュルテンベルク人（女）
Mecklenburger(-)..[m]	Saarländerin(nen) ..[f] ザーランド人（女）	württembergisch
メクレンブルク人（男）	saarländisch ..ザーランド（風）の	ヴュルテンベルク（風）の
Mecklenburgerin(nen) .[f]	Sachsen..........ザクセン地方	Würzburg ....ヴュルツブルク
メクレンブルク人（女）	Sachse(n)...[m] ザクセン人（男）	
mecklenburgisch ..	Sächsin(nen) .[f] ザクセン人（女）	
メクレンブルク（風）の	sächsisch ....ザクセン（風）の	
Meißen............マイセン	Schleswig ......シュレスヴィック	
Mosel..............モーゼル川	Schwabe(n) ...[m] シュヴァーベン人（男）	
München........ミュンヘン	Schwaben......	
Münster..........ミュンスター	シュヴァーベン地方（ヴュルテンベルク州）	
Niedersachen ニーダーザクセン地方	Schwäbin(nen) ...[f] シュヴァーベン人（女）	
Niedersachse(n).[m] ニーダーザクセン人（男）	schwäbisch シュヴァーベン（風）の	
Niedersächsin(nen) ...[f]	Schwäbische Alb..	
ニーダーザクセン人（女）	シュヴァーベン地方の丘陵山脈	
niedersächsisch .ニーダーザクセン（風）の	Schwarzwald .シュヴァルツヴァルト	
	Stuttgart.........シュツットガルト	

6　乗り物

1.Klasse..........1 等	Fahrscheinautomat(en) .[m] 切符自動販売機	reserviert 予約済み
2. Klasse..........2 等	Fahrscheinkontrolle(n) [f] 車内検札	Reservierung(en)[f] 予約
ab・fahren.......[s] 出発する	gegen eine Gebühr von 30 DM	Richtung(en)[f] 方向、方角
Abfahrt(en).....[f] 出発	手数料30マルクと引き換えに	Rückfahrt(en).[f] 復路
an・kommen...[s] 到着する	Geltungsdauer...[f] 有効期限	Rücknahme ...[f] 払い戻し
Angebot(e).....[n] 割引料金の提供	Gleis(e)..........[n] ホーム	S-Bahn(en) ....[f] 近郊電車
Ankunft ....[f] 到着	gültig.............有効である	Schlafwagen(-) ..[m] 寝台車
Anschluss(Anschlüsse) ..[m] 連絡線	Guten-Abend-Ticket(s)[n]	Schnellzug(-züge).[m] 急行
Aufpreis(e)......[m] 割り増し料金	グーテン・アーベント・ティケット（夜7時から	Schönes-Wochenende-Ticket(s)..[n]
aus・steigen ..[s] 降りる	夜0時2時まで有効の割引チケット。距離に関係	週末切符（土曜日もしくは日曜日のうち1日、一
ausgeschlossen 不可能の	なく均一料金）	部の電車に乗り放題の切符。1枚につき大人5人
Auskunft(Auskünfte).[f] 案内、案内所	Haltestelle(n) .[f] 停留所	までOK）
begrenzt.........制限されている	hin und zürück...往復	Sparangebot(e) [n] 割引料金の提供
bis fur fünf Personen 5 人まで	Hinfahrt(en).....[f] 往路	Sparpreis(e)....[m] 割引価格
Bordpreis(e)...[m] 車内料金	Hinweis(e)......[m] 参照、但し書き	Speisewagen(-) ..[m] レストラン車
Bus(Busse)....[m] バス	IC: Intercityzug(-züge)..[m] インターシティ	Straßenbahn(en) ..[f] 市電
EC: Eurocityzug(-züge) ..[m] ユーロシティ	ICE　　ドイツの新幹線「イー・ツェー・エー」	Super-Sparpreis(e) ..[m] 特別割引価格
（ドイツ語では「オイロシティ」）	ICE-Sparpreis(e)...[m] ICE用割引料金	Twen-Ticket(s) ..[n]
ein・steigen ....[s] 乗る	ICE-Super-Sparpreis(e) ..[m] . ICE特別割引料金	若者向けの割引チケット（25歳以下）
einfach ....片道	kostenlos ....無料の	U-Bahn(en) ....[f] 地下鉄
Einzelfahrschein(e) ..[m] 一回切符	Liegewagen(-)[m] 簡易寝台車	um・steigen ....[s] 乗り換える
Einzelreisende...一人きりの旅行者	Mitfahrer(-)......[m] 同伴者	Umsteigmöglichkeit(en)[f] 乗り換えの可能性
entwerfen......切符を刻印する	Mitfahrer-Fahrpreis(e)[m] 同伴者運賃（一人は普	Umtausch(e) ..[m] 交換
erhältlich ....買うことができる	通運賃で、その他同伴者は半額の割引料金）	Verbindung(en) .[f] 連絡電車
Ermäßigung(en) [f] 割引料金	nach ~.............～行き	Verkehrsmittel(-) [n] 交通手段
erstattet. ....支払われる、返却される	Nachtzug(-züge) [m] 夜行列車	verspätet, sich ...遅れる
Expressverkauf(-käufer)[m]	Nahverkehr.....[m] 近距離交通	Verspätung(en) ..[f] 遅れ、遅延
案内なしの切符販売のみ	normaler Fahrpreis...一般価格	von ~...............～から
Fahrplan(Fahrpläne) [m] 時刻表	Notausgang(-gänge)[m] 非常口	Voraussetzung(en)...[f] 前提条件
Fahrpreis(e) ...[m] 運賃	Notbremse(n).[f] 非常ブレーキ.	Wartesaal(-säle) [m] 待合室
Fahrpreiserstattung(en) ..[f] 運賃返済	Reiseauskunft(-auskünfte) ..[f]	Zuschlag(Zuschläge)...[m] 追加料金
Fahrschein(e) [m] 切符	旅行案内、旅行案内所	zuschlagpflichtig 追加料金が必要な

独和単語集 5〜6

119

7 レンタカー

akzeptieren....受け入れる、承諾する
an・kreuzen....×印をつける
Anmietung(en)...[f] レンタルの引き渡し
Anzahl Sitze...座席数
Autobahn(nen) ..[f] 高速
Automatik(en) [f] オートマティック
Blinker(-)........[m] ウィンカー
Bremse(n)......[f] ブレーキ
Bundesstraße(n)...[f] 国道
erforderlich.....必要とする
Fahrzeuggruppe(n)..[f]
　　　　　　車種のグループ、カテゴリー
Führerschein(e) ..[m] 免許書
Führerschein im Besitz seit: 1 Jahr(en) .
　　　　　　　一年以上免許所を所得
Führerschein-Nr....免許所番号
Gaspedal(e)...[n] アクセル
gültig.............有効である
Haftpflichtversicherung(en)[f]
　　　　　　　　　　車両強制保険
Handbremse(n) .[f] サイドブレーキ
im Preis enthalten.価格に含まれる
Mehrwertsteuer .[f] 付加価値税
inkl. ~ ....~を含む
inklusiv ~........~を含む
Insassenversicherung(en)..[f] 同乗者保険
Kofferraum(-räume) .[m] ランク
Kühlwasser....[n] 冷却水
Land(Länder) .[n] 国
Landstraße(n)[f] 州道
Mietpreis(e)....[m] レンタル料金
Mietvertrag(-träge)[m] レンタル契約書
Mietzeitraum(-räume)..[m] レンタル期間
Mindestalter zur Anmietung: 18 Jahre
　　　　　　レンタルできる年齢:18歳以上
Öl..................[n] オイル
persönliche Daten.個人データ
Rückgabe(n) ..[f] 返却
Rückgabestation(en)[f] 返却店
Rückspiegel(-) ...[m] バックミラー
Schaltgetriebe(-)[n] マニュアル
Schaltung(en) [f] ギア
Scheibenwischer(-) ..[m] ワイパー
Scheinwerfer(-)..[m] ヘッドライト
Seitenspiegel(-)..[m] サイドミラー
Service-Gebühr(en) ..[f] サービス料
Station(en).....[f] 店舗
Stoßstange(n)[f] バンパー
Straße(n).......[f] 通り
Teilkasko ....部分リスク保険
Telefon(e) ......[n] 電話
Verwaltungsgebühr(en) ..[f] 手数料
Vollkasko ....オールリスク保険
Vorauszahlung(en)...[f] 前払い
Vorname(n)....[m] 名前、ファーストネーム
Zahlungsart(en).[f] 支払い方法
unbegrenzte Kilometer 距離制限なし
Zusatzfahrer(-) ..[m] 追加運転手

8 標識

Abflug ....出発
Achtung! ....注意
Ankunft ....到着
Aufzug ....エレベーター
Ausfahrt ....出口
Ausgang ....出口
Auskunft........案内所
Ausland.........国外
Ausverkauft....売り切れ
Bahnübergang...踏切り
Baustelle........工事現場
Besetzt...........ふさがっている
Betreten verboten! 立入禁止
Bitte anschnallen ..
　　　　　　シートベルトをしめてください
Bitte das Rauchen einstellen!
　　　　　　　喫煙をやめてください
Bitte klingeln ..ベルを鳴らしてください
Bitte nicht berühren..触れないでください
Bitte ruhe! ......お静かに
Damen............女性
Drücken ....押す
Durchgang verboten!...通り抜け禁止
EG ....階
Eingang ....入り口
Eintritt Frei .....入場無料
Eintritt verboten! 立入禁止
Fotografieren verboten! ..撮影禁止
Frei ....空いている
Fundburo ......遺失物保管所
Fußgängerzone...歩行者天国
Gefahr...........キケン
Gefährliche Kurve.危なカーブ
Geldwechsel..両替
Geöffnet ....開いている
Geschlossen..閉まっている
Grenze ....国境
Halt ....停止
Haltestelle......停留所
Halteverbot ...停車禁止
Herren...........男性
Inland............国内
Kasse............レジ
Kein Durchgang!...通り抜けできません
Kein Trinkwasser..飲み水ではありません
Keine Wendemöglichkeit
　　　　　　　　Uターンできません
Krankenhaus ..病院
Lebensgefahr.命にかかわるキケン
Links ....左
Nichtraucher..禁煙席
Parkplatz........駐車場
Paßkontrolle ..パスポート検査
Polizei............警察
Post ....郵便局
Privat ....プライベート
Privatgrundstück...私有地
Rauchen verboten!...喫煙禁止！
Raucher.........喫煙席
Rauchverbot!.喫煙禁止
Rechts ....右
Sackgasse.....この先行き止まり
Schritt fahren .徐行
Sperrgebiet....立ち入り禁止区域
Stop ....ストップ
Trinkwasser ...飲み水
Übersichtsplan ..案内図
UG ....地下階
Umleitung .....迂回路
Vorsicht Stufe!...注意、段差あり
Wechselkurs..レート
Ziehen...........引く
Zoll ....税関
Zollfreie Waren..無関税物
Zollkontrolle ...税関検査
Zollpflichtige Waren .関税物
Ausfahrt freihalten 出口につき駐停車禁止

9 観光

Achterbahn(en).....[f] ジェットコースター
Allee(n).............[f] 並木道
Altstadt(-städte) ....[f] 旧市街
Arena(Arenen) ....[f] 競技場、アリーナ
Aufführung(en).....[f] 上映、上演
Ausflug(-flüge) .....[m] 小旅行、ハイキング
Ausstellung(en)....[f] 展覧会、展示会
Besichtigung(en)......[f] 見学
botanischer Garten(gärten) ...[m] 植物園
Brucke(n)..........[f] 橋
Brunnen(-) ....[m] 泉
Denkmal(Denkmäler)......
　　　　　[n] 記念物、記念碑、記念像
Denkmalschutz .....[m] 保護記念物
Eintritt(e)............[m] 入場料
Fernseherturm(-türme) ...[m] テレビ塔
Festung(en) ....[f] 要塞
Freizeitpark(s) .....[m] 遊園地
Friedhof(-höfe) .....[m] 墓地
Flohmarkt(-märkte) [m] フリーマーケット
Fuhrung(en) ....[f] ガイド
Galerie(n) ....[f] 美術館、画廊
Garten(Gärten) ....[m] 庭園
Gasse(n) ....[f] 小道、路地
Gemälde(-) ....[n] 絵画
geöffnet ....開いている
Gewölbe(-) ....[n] 丸天井、アーチ
Hafen(Häfen).....[m] 港
Innenstadt(-städte) .....[f]市の中心部
Kirmes(sen).......[f] 移動遊園地
Markthalle(n) .....[f] 市場がある建物
Marktplatz(-plätze) ...[m] 市が立つ広場
Messe(n) ....
　　　　[f] 見本市、(南バーデン) 移動遊園地
Park(s)............[m] 公園、大庭園
Passage(n).......[f] 通り
Platz(Plätze) .....[m] 広場
Programm(e)....[n] プログラム、予定表
Riesenrad(-räder)....[n] 観覧車

Rundfahrt(en) ....[f] 周遊
Säule(n)............[f] 柱
Stadtmauer(n) ...[f] 町を囲む壁
Stadttor(e) ....[n] 市門
Statue(n) ....[f] 彫像
Tor(e) ....[n] 門
Turm(Türme) .....[m] 塔
Volksfest(e) ....[n] お祭り
Weinfest(e) ....[n] ワイン祭り
Zirkus(se) ....[m] サーカス
Zoo(s) ....[m] 動物園

10 食べ物＆メニュー

Ananas ....[f] パイナップル
angemachter..あえた
Apfel(Äpfel) ....[m] りんご
Apfelkompott(e).[n]アップルコンポット
Apfelmus........[n]
　　　　　　ペーストしたりんごのソース
Apfelsine(n) ...[f] オレンジの一種
Apfeltasche(n) ...[f] アップルパイ
Aprikose(n) ....[f] あんず
Artischocke(n)[f] アーティチョーク
Aubergine(n)..[f] なす
auf ~ ....~のせ
Auflauf(e) ....[m] スフレ、グラタン
aus dem Ofen オーブン焼き
aus der Pfanne ..フライパン炒め
Auster(n) ....[m] 牡蠣
Avocado.........[m] アボガド
Baguette(s) ....[n] バケット
Bambussprosse(n)...[f] たけのこ
Banane(n) ......[f] バナナ
Bandnudeln ...[pl] 太くて薄い麺
Basilikum ....[m] バジリコ
Bauernsalat　サラダ盛り合わせ
Birne(n) ....[f] 洋なし
Bismarckhering(e) [m] 酢漬け生にしん
Blaubeere(n)..[f] ブルーベリー
Blauschimmelkäse(-)...[f] ブルーチーズ
Blumenkohl(e)...[m] カリフラワー
Bockwurst(-würste) ..[f] ゆでソーセージ
Bohne(n)........[f] 豆
Bohnensuppe(n)[f] 豆入りスープ
Bolognese......................ボロネーゼ
Bonito.............[m] かつお
Bratkartoffeln [pl]
　　　　　　薄切りジャガイモの炒め
Broccolicreme(s)...[f] ブロッコリースープ
Brokkoli..........[m] ブロッコリー
Brombeere(n)[f]木いちご
Brotsuppe(n)..[f] パンスープ
Butter..............[m] バター
Calamares(Calamaren) ..[f] イカ
Camembert....カマンベールチーズ
Carbonara......カルボナーラ
Champagner(-)..[m] シャンパン
Champignon(s) .[m] マッシュルーム
Champignoncreme (s).[f]
　　　　　　マッシュルームスープ
Chicoree(s) ....[m] チコリー
Chili..................[m] チリ
Chinakohl.......[m]白菜.
Chop-Suey.....中華のあんかけソース.
Cocktailtomate(n)..[f] プチトマト.
Cordon-Bleu .肉のハム＆チーズはさみ
Cremesuppe(n) ..[f] クリームスープ
Crepe(s).........[m] クレープ
Curry..............[n] カレー.
Curryrahmsoße(n) [f] カレーソース.
dazu ....付け合わせ..
Dill(s) ....[m] ディル
Dillsause(n)....[f] ディルソース.
Dressing(s) ....[n] ドレッシング
Ei(er)...............[n] 卵.
eingelegte ....漬けた.
Eintopf(-töpfe)[f] シチュー
Eis....................[n] アイスクリーム、氷
Eisbein............塩漬けしたゆで豚足
Eisbergsalat...[m] レタスの一種
Emmentaler...チーズの一種
Ente(n) ....[f] あひる
Entenbrust.....[f] 七面鳥の胸肉
Erbse(n).........[f] グリンピース
Erbsensuppe(n).[f] グリンピーススープ
Erdbeere(n) ...[f] いちご
Erdnuß(-nüsse) .[f] ピーナッツ
Erdnusssoße(n).[f] ピーナッツソース
Essig...............[m] 酢
Feldsalat........[m] ノヂシャ
Fenchel(-) ......[m] ういきょう
Feta ....ギリシャの羊チーズ
Filetsteak (s)..[n] フィレステーキ
Flammkuchen(-) [m] フランス風ピザ
Fleischbällchen(-) .[n] 肉団子
Fleischkloße(-klöße) [n]
　　　　　　　肉入りのドイツ風団子
Flunder(n) ......[f] かれい
Forelle(n) ....[f] ます
Frikadelle(n)...[f] ミンチカツ
frittiert.............揚げた
Früchtesalat...フルーツサラダ
Frühlingsrolle(n) [f] 春巻き
Frühlingszwiebel(n)..[f]若たまねぎ
Gans(Gänse) .[f] がちょう
Gänsebrust....[f] がちょうの胸肉
Garnele(n) .....[f] 小えび
Gauda............チーズの一種
gebacken.......オーブンで焼いた
gebraten ....炒めた
gedämpft.......蒸した
gedünstet.......蒸し煮した
geeist..............アイス化した
Geflügel ....[n] 鳥肉
gefüllt..............詰めた
gegrillt.............グリルした
gehackt...........みじん切りした
gekocht ....茹でた
gekochtes Ei(er) [n] ゆで卵
Gelee(s).........[n] ゼリー
gemischt ....ミックスした
gemischter Salat.....ミックスサラダ
Gemüse(-) .....[n] 野菜
Gemüsepfanne..野菜炒め
geräuchert .....薫製にした
gerollt..............巻いた
geröstet..........カリッと焼いた
geschmort......煮込んだ
geschnetzeltes ..薄切肉の炒め
Gewürzgurke(n) [f] ピクルス
glasiert............糖衣をつけた
Grapefruit(s) ..[f] グレープフルーツ
Gratin(s).........[n] グラタン
grüner Salat...グリーンサラダ
grüner Sause.グリーンソース
Gulasch ....ハンガリー風シチュー
Gulaschsuppe(n) .[f] ハンガリー風スープ
Gulaschsuppe(n)..[f]
　　　　　　ハンガリー風の煮込みスープ
Gurke(n) ....[f] きゅうり
Gyros................
　　　　ギリシャ風子羊の肉と野菜のサンドイッチ
Hackbraten(-).[m] 挽肉炒め
Hackfleisch ....[n] 挽肉
Hackfüllung(en) .[f] 挽肉詰め
Hagebuttensoße(n)..[f] 野バラの実ソース
Hähnchenbrust..[f] 若鳥の胸肉
Hähnchenschlegel(-)[m] 若鳥のもも肉
Hähnchenschnitzel(-) ..[f] 若鳥のカツレツ
Hase(n) ....[f] うさぎ
Haselnuss(-nüsse)[f] はしばみの実
Hasenkeule(n)...[f] うさぎの腓肉
Hauptgerichte メインメニュー
Hausgemacht 自家製の
Heidelbeere(n)..[f] こけもも、ブルーベリー
Hering(e)........[f] にしん
Himbeere(n)....[f] えぞいちご、ラズベリー
Hirschkalb(-kälber)..[f] 小鹿
Hollandaise....ホワイトソース
Honig ....[m] はちみつ
Hüftsteak(s) ...[n] 腰肉のステーキ
Hummer(-) .....[n] ロブスター
in ~ ....~につけた
Ingwer............[m] しょうが
Jägerschnitzel ..マッシュルーム＆ペッパー
　　　　　　　ソースをかけたカツレツ
Jägersoße(n) .[f] 狩人風ソース
Jakobsmuschel(n) ...[f] 貝の一種
Joghurt..........[m] ヨーグルト
Joghurtsahne.ヨーグルトクリームケーキ
Johannisbeere(n)...[f] すぐり
Kalbsbrust......[f] 子牛の胸肉
Kalbsfrikassee子牛のソース煮
Kalbshaxe(n) .[f] 子牛の足
Kalbsschnitzel(-)[n] 子牛のカツレツ
Karotte(n).......[f] にんじん
Kartoffel(n)....[f] じゃがいも
Kartoffelgratin ポテトグラタン
Kartoffelnpüree(s).[n] マッシュポテト
Kartoffelsalat ポテトサラダ
Käsekuchen(-)...[m] チーズケーキ
Käsesahnekuchen(-).[m] 生チーズケーキ
Kebab　トルコ風子羊の肉と野菜のサンドイッチ
Ketchup(s) .....[n] ケチャップ
Kinderteller(-).[m] 子供用料理
Kirsche(n) ......[f] さくらんぼ
Kirschtorte(n).[f]さくらんぼケーキ
Kiwi[s] ....[f]キウイ
Kleine Gerichte..軽食
Kleine Portion 小サイズ
Klößchen(-) ...[n] 団子風のつけ合わせ
Knoblauch......[m] にんにく
Knoblauchbrot...[n] ガーリックバケット

- Knödel(-).........[m] だんご風つけ合わせ
- Knoblauchsoße(n)[f] ニンニクソース
- Knusprig ....カリッとした
- Kohlrabi ....[m] コールラービ
- Kokos(-)..........[m] ヤシの実
- Kokosnusssoße(n)[f] ココナッツソース
- Konfitüre(n)......[f] 砂糖漬けの果物
- Kopfsalat(e) .....[m] 緑葉野菜
- Koriander........[m] コリアンダー
- Kornflakes.......[pl] コーンフレーク
- Kotelett(s) ....[n] あばら肉
- Krabbe(n)........[f] 小エビ
- Kraut(Kräuter)..[n] 葉菜
- Krebs(e)..........[m] カニ、エビ
- Kresse(n) ....[f] クレソンの葉
- Kroketten ....ポテトフライ
- Kürbis(se) ....[m] かぼちゃ
- Lachs(e)..........[m] 鮭
- Lachsforelle(n) ..[f] ます
- Lammfilet(s)....[n] 子羊のフィレ
- Lammkeule(n)[f] 子羊の脾肉
- Lasagne..........ラザニア
- Lauch ....[m] ねぎ
- Lauchzwiebel(n)[f] 万能ネギみたいな野菜
- Leber(n) ....[f] レバー
- Leberkäse........ミンチした肉を蒸し固めたもの
- Leberwurst(-würste)..[f] レバーソーセージ
- Limone............ライム
- Limonadensoße(n)...[f] レモネードソース
- Linse(n)...........[f] へんとう
- Lychee............ライチ
- Maccaroni ....マカロニ
- Mais ....[m] とうもろこし
- Mandarine(n) ..[f] みかん
- Mandel(n) ....[f] アーモンド
- Mango(nen) ....[m] マンゴ
- mariniert.........マリネにした
- Marmelade(n)..[f] ジャム
- Marone(n) ....[f] 栗
- Marzipan(e) ....[m] マジパン
- Matjeshering...塩漬けのにしん
- Maultasche(n)[f] ドイツ風ラビオリ
- Mayonnaise ...マヨネーズ
- Medaillon(s)...[n] 丸形肉のロースト
- Meeresfrüchte[pl] 海産物
- Meerrettich.....[m] 西洋ワサビ
- Melone(n) ....[f] メロン
- Menü(s) ....[n] 定食
- mit ~...............～と、～添え
- Mittagsmenü(s) .[f] お昼の定食
- Möhre(n) ....[f] にんじん
- Mozzarella ......モッツァレラ
- Muffin.............マフィン
- Müllerinart......ムニエル
- Muschel(n)......[f] 貝、ムール貝
- Müsli..............ミューズリ（シリアルの一種）
- Muskat(e)........[m] ナツメグ
- nach ~art ....～風
- nach Hausfrauenart..家庭料理風
- Nudelgerichte パスタ料理
- Nutella ....チョコペースト
- Obst...............[n] 果物、フルーツ
- Ochse(n)..........[m] 雄牛
- Ochsenschwanzsuppe.. 雄牛のしっぽのスープ
- Olive(n)...........[f] オリーブ
- Olivenöl..........[n] オリーブオイル
- Omelett(e)......[n] オムレツ

- Orange(n) ......[f] オレンジ
- paniert............衣をつけて焼いた
- Paprika(s) ......[f] ピーマン
- Paprika-Chilisauce ピーマン＆チリソース
- Parmesan ....バルメサン、粉チーズ
- Paste(n) ....[f] ペースト
- Pastete(n).......[f] パイ
- Peperoni ....[pl] ペパロニ
- Petersilie(n) ...[f] パセリ
- Pfannkuchen(-) ...[f] パンケーキ
- Pfeffersauce ..ペッパーソース
- Pfifferling(-) ...[f] あんずたけ
- Pfifferlingsülze(n)..
    [f]あんずたけのゼラチンミンチ
- Pfirsich(e) .....[m] 桃
- Pfirsichkuchen...黄桃ケーキ
- Pflaume(n).....[f] プラム
- Pflaumenkuchen...プラムケーキ
- pikant............薬味のきいた
- Pilz(e) ....[m] きのこ
- Pizza(s).........[f] ピザ
- Plätzchen(-) ...[n] クッキー
- Porree(s)........[m] ねぎ
- Portion(en).....[f] 一皿、一盛
- Preiselbeere(n)..[f] こけもも
- Preiselbeere(n)..[f] こけ桃
- Pudding(s).....[m] プリン
- Püree(s)........[m] ピュレ
- Putenbrust .....[f] メス七面鳥の胸肉
- Putenfleisch....[n] メス七面鳥の肉
- Putengeschnetzeltes
    薄切メス七面鳥肉の炒め
- Putensteak(s) [n] メス七面鳥のステーキ
- Quark............[m] カテージチーズ
- Quiche ....[f] キッシュ
- Radieschen(-)[n] ラディッシュ
- Ragout..........細切り肉のソース煮
- Rahm............[m] クリーム
- Rahmsuppe(n) ..[f] クリームスープ
- Reis ....[m] ライス
- Remoladensoße(n)[f]卵と薬草入りソース
- Rettich ....[m] だいこん
- Rhabarber(-)..[m] だいおう
- Rinderbrust ...[m] 牛の胸肉
- Rinderfilet(s)..[n] 牛のヒレ肉
- Rinderkeule(n)..[f] 牛の脾肉
- Rinderleber(n)[f] 牛レバー
- roh ....生の
- Röllchen(-).....[n] 巻き物
- Rollmöpse......ピクルスを巻いてワインビ
    ネガーにつけたにしん
- Rosenkohl .....[m] 芽キャベツ
- Rosmarin ....[m] ローズマリーン
- Rösti ....[pl] 炒めたジャガイモ
- Rotbarsch(e)..[m] 赤パーチ（淡水魚）
- Rotkohl ....[m] 赤キャベツ
- Rotweinsause 赤ワインソース
- Rotwurst(-würste)..[f] 赤ソーセージ
- Roulade(n).......[f]肉とベーコンのピクルス巻き
- Rücken(-)........[m] 背中
- Rührei(er) ......[n] いり卵
- Rumpsteak(s) [n] 牛臀部のステーキ
- saftig..............ジューシーな
- Sahne.............[f] 生クリーム
- Sahnesoße(n)[f] 生クリームソース
- Salami............[f] サラミ
- Salat(e)..........[m] サラダ

- Salatteller(-)...[m] サラダ盛り合わせ
- Salzkartoffel(n) ..[f] 塩茹でポテト
- sauer..............すっぱい
- Sauerbraten...酢漬け牛肉のロースト
- Sauerkraut.....[n] 塩漬けキャベツ
- säuerlich ....酸味のある
- saure Sahne ..サワークリーム
- Schafskäse(-) [f] 羊のチーズ
- scharf............辛い
- Schimmelkäse(-)...[f] かびチーズ
- Schinken........[m] ハム
- Schkoladenkuchen...チョコレートケーキ
- Schlagsahne..[f] ホイップクリーム
- schmorbraten.蒸し焼きの
- Schnecken.....[n] エスカルゴ
- Schnitzel(-) ....[n] カツレツ
- Schokolade(n)..[f] チョコレート
- Schokoladentorte(n)..[f] チョコレートケーキ
- Scholle(n) ......[f] かれい
- Schupfnudeln ドイツの麺の一種
- Schweinefilet(s).[n] 豚ヒレ
- Schweinegeschnetzeltes 薄切豚肉の炒め
- Schweinehaxe...豚すね肉のロースト
- Schweinekotelett(s)..[n] 豚のあばら肉
- Schweinelende(n)..[f] 豚腰肉
- Schweinemedaillons 豚肉のロースト
- Schweinerücken(-)[m] 豚背肉
- Schweinerückensteak(s) ..[n] 豚肉ステーキ
- Schweineschnitzel(-)[n] 豚カツレツ
- Seezunge(n)...[f] したびらめ
- Sellerie(s) ......[m] セロリ
- Semmel(n) .....[f] 小さなパン
- Senf(e)...........[m] マスタード
- Sesam(s) ....[m] ごま
- Sirup(e)..........[m] シロップ
- Sojasprosse(n) ..[m] もやし
- Spaghetti ....[pl] スパゲッティ
- Spargel(-).......[m] アスパラ
- Spätzle..........[pl] ドイツ風パスタ
- Speck............[m] ベーコン
- Spezialität des Hauses 名物料理
- Spiegelei(er) ..[n] 目玉焼き
- Spieß(e) ....[m] 串焼き
- Spinat(e) ....[m] ほうれんそう
- Spitzkohl ....[m] キャベツの一種
- Steinpilz(e) ....[m] きのこの一種
- Straußensteak(s) ..[n] だちょうステーキ
- Sülze(n) ....[f] ゼラチンミンチ
- süß-sauer Soße 中華の甘辛ソース
- Tagesgericht(e) .[n] 今日の定食
- Teigtasche(n).[f] パイ
- Terrine(n)......[f] テリーヌ
- Thunfisch(e)...[m]ツナ
- Tintenfisch(e).[m] イカ
- Toast(e) ....[m] トースト
- Tofu ....[n] 豆腐
- Tomate(n)......[f] トマト
- Tomatencreme(s) .[f] トマトクリーム
- Torte(n)..........[f] ケーキ、トルテ
- Tortellini ....トルテリーニ
- Traube(n).......[f] ぶどう
- Trüffel(n).........[f] トリュフ
- Tzatziki ....ギリシャのディップ
- überbacken.....
    （チーズをのせて）オーブンで焼いた
- von ~.............～の
- Waldbeere(n).[f] ワイルドベリー

Wan Tan........ワンタン		ちりめんたま菜（キャベツの一種）	Zitronensaft....[m] レモン汁
Wassermelone(n) .[f] すいか	Wurstsalat(e) .[m] ソーセージサラダ	zubereitet.......調理した
Weinessig......[m] ワインビネガー	Zander(-).......[m] すずき	Zucchini ....[m] ズッキーニ
Weißkohl........[m] キャベツ	Ziegenkäse(-) [f] ヤギチーズ	Zwetschgenkuchen..プラムケーキ
Weißwurst(-würste)..[f] 白ソーセージ	Zigeunersoße 赤ピーマンのソース	Zwiebel(n)......[f] タマネギ
Wildgerichte......[pl] 猟獣肉料理	Zimt(e) ....[m] シナモン	Zwiebelkuchen(-) ...[m] タマネギのキッシュ
Wildschwein(e)..[f] いのしし	Zitrone(n) ....[f] レモン	
Windbeutel.....シュークリーム	Zitronenmelisse(n)[f]	
Wirsing...........[m]	ハーブの一種、レモンに似た香り	

11 飲み物

alkoholfreies Bier..ノンアルコールビール
Alt　　デュッセルドルフの地ビール
Ananasnektar パイナップルネクター
Ananassaft.....パイナップルジュース
Aperitif(s) ....[m] 食前酒
Apfelsaft..........アップルジュース
Apfelsaftschorle.
　アップルジュースの炭酸水割り
Apfelwein.......りんごワイン
Assam............アッサムティ
Bacardi ....バカルディ
Banannennektar..バナナネクター
Bananensaft .バナナジュース
Bock　ボックビール：期間限定、高アルコール
Café-latte.......カフェ・ラッテ
Cappuccino....カプチーノ
Cognac ....コニャック
Cola ....コーラ
Darjeeling .....ダージリンティ
Doppelbock....普通のボックビールよりも
　さらに高アルコールのボックビール
Dunkles ....濃色ラガー
dunkles Hefeweizen.黒の酵母入りビール
Earl Grey ....アールグレイティ
Eisbock
　クリスマスに向けて発売されるボックビール
Espresso........エスプレッソ
Export ....ラガーの一種
Fanta ....ファンタ
Früchtetee .....フルーツティ
Glühwein........赤ワインにシナモンとレモ
ンを入れたホットワイン
Grog...............紅茶のラム割り

grüner Tee......緑茶
Hagebuttentee.....野いばらの実のお茶
heiße Milch .....ホットミルク
heiße Schokolade.ホットチョコレート
helles Hefeweizen..　淡黄色の酵母入りビール
Helles.............淡黄色ラガー
Jasmintee......ジャスミンティー
Kaffee ....[m] コーヒー
Kakao ....[m] ココア
kalte Getränke.....冷たい飲物
Kamillentee....カモミールティ
Kännchen(-)....[n] ポット
Kanne(n).......[f] 小さなポット
Kiba................バナナ＆さくらんぼジュース
Kirschnektar...さくらんぼネクター
Kirschsaft.......さくらんぼジュース
Kölsch............ケルンの地ビール．
Kristallweizen ...ろ過したヴァイツェンビール
Limo...............レモネード
Limonade(n) ...[n] レモネード
Maibock ....
　メーデーにあわせて発売されるボックビール
Milch ....[f] ミルク
Milchkaffee ....ミルクコーヒー
Mineralwasser ...
　ミネラルウォーター（たいてい炭酸入り）
mit Kohlensaure ガス入り
Multivitamin　ビタミンたっぷりのジュース
neuer Süßer ......ワインになる前のぶどう
ジュース（アルコール分ほんの少し）
ohne Kohlensäure ガスなし
Orangensaft....オレンジジュース
Orangensaftschorle..

　オレンジジュースの炭酸水割り
Ostfriesentee ....オストフリーゼンティ
Pfefferminztee............ペパーミントティ
Pils ....ピルス、ラガーの一種．
Pilsner...........ピルスナー
Rauchbier ......薫製ビール
Red Bull ....エネルギードリンク
Rum ....ラム
Saft(Säfte) .....[m] ジュース
Schnaps(Schnäpse).
　ブランデー、コニャック、ウィスキーなど
Schwarzbier...黒ビール
schwarzer Tee...紅茶
Spezi ....コーラとファンタのミックス
Spirituosen ...[pl]強アルコール飲料
Sprudel ....炭酸水
Stilles Wasser....ガスなしのミネラルウォーター
Tafelwasser ....テーブルウォーター
Tasse(n) ....[f] カップ
Tee(s) ....[m] 紅茶、お茶
Tequila...........テキーラ
Tomatensaft ...トマトジュース
Traubensaft ...グレープジュース
Trinkwasser ...[n] 飲み水
warme Getränke温かい飲物
Weissbier.......ヴァイツェンビール（バイ
エルンでのみ使われている）
Weizenbock...麦芽入りボックビール
Whisky ....ウィスキー
Wiener Melange ウィンナーコーヒー
Wodka ....ウォッカ

12 ワイン

Ahr ....アール川流域の産地
Auslese.........上品質のぶどうから作られたワイン
Baden ....バーデン州、ライン川流域とボーデン湖周辺地域の産地
Beerenauslese ..貴腐ワイン
Deutscher Tafelwein ドイツ産ぶどうのみのテーブルワイン
Dornfelder.......（赤）香り豊かで、しなやかなワイン
Eiswein ....凍ったぶどうから作られたワイン
Franken ....バイエルン州北部、マイン川流域の産地
Gewürztraminer.バラを思わせるような強い風味をもつ、まろやかなワイン
Grauburgunder..（白）アルコール分は高く、やや力強いワイン
Gutedel ....（白）酸味の少ない、まろやかなワイン
Hessische Bergstraße.ヘッセン州南部、ライン川流域の産地
Kabinett ....通常の収穫時期に収穫された、糖度の低いぶどうから作られたワイン
Kerner............（白）白ぶどうRieslingと赤ぶどうThrollingerの交配で、Rieslingに似た味わいとマスカットに似た香り
Landwein(e)...[m] 地ワイン
Mittelrhein ......ボンの南、ライン川流域の産地
Mosel-Saar-Ruwerモーゼル川、ザール川、ルーヴァー川流域の産地
Müller-Thurgau （白）Riesling と Gutedelの交配。酸味が穏やかで、飲み心地が良く、マスカットに似た香り
Nahe ....ナーエ川北部流域の産地

Pfalz...............ラインランド・プファルツ州南部、ライン川流域の産地
Portugieser .....（赤）低アルコール分で飲みやすい
QmP:Qualitätswein mit Prädikat ..肩書きつき上質ワイン
QbA:Qualitätswein 上質ワイン
Rheingau ....ライン川とマイン川が合流する辺りからライン川北部流域の産地
Rheinhessen...マインツ近郊、ナーエ川とライン川に挟まれた地域の産地
Riesling..........（白）ワイン用のぶどうの中で最高の品種。エレガントな味わい。
Roséwein(e) ..[m] ロゼワイン
Rotwein(e) .....[m] 赤ワイン
Ruländer.........（赤）栄養豊かな、甘めのワイン
Saale-Unstrut..旧東ドイツ、ザーレ川とウンストルート川流域の産地
Sachsen.........ザクセン州、エルベ川流域の産地
Silvaner..........（白）みずみずしい果実で酸味が少なくニュートラルな味わい
Spätburgunder ..（赤）赤ワイン用のぶどうの中で最高の品種。酸味は強く、上品な風味
Spätlese.........通常の収穫時期より遅く収穫されたぶどうから作られたワイン
Tafelwein(e)...[m] テーブルワイン
Trockenbeerenauslese 貴腐菌がついた、乾燥したぶどうから作られたワイン
Trollinger........（赤）軽やかなワインで、すぐりを思わせる香り
Weißburgunder .（白）高アルコール分で、クルミのような風味
Weißherbst ....95％以上一種類の赤ワインから作られたワインで、Q.b.A.もしくはQ.m.P.のワイン
Weißwein(e) ..[m] 白ワイン
Württemberg..ヴュルテンベルク州、ネッカー川流域の産地

13　接続詞、接続を意味する副詞

注釈：............*動詞は末尾
　　　　　..................**接続詞+動詞+名詞+～

aber ....しかし
als ~* ....～したとき
als ob ~* ....あたかも ～であるかのように
also** ....それでは、それゆえ
anderenfalls...[副] そうでなければ
andererseits...[副] その一方
auch wenn ~*..～であっても
außerdem ......それに加えて
bevor* ....～する前に
bis*................～するまでは
dagegen ....それに反して
daher**..........それゆえ、そのため
damit* ....するために
darum**.........それゆえ、そのため
dass~ ....～ということ
denn...............というのは、なぜなら
dennoch.........それにもかかわらず
deshalb** ......それゆえに、だから
deswegen** ...それゆえに
entweder A oder B A もしくは B
falls ~*............～の場合には
je nach ~³.......～しだいにより
je nachdem*...場合によっては
jedoch**........しかし、ところが
kaum dass ~*.～するやいなや
nachdem ~* ...～した後
nämlich ....[副] つまり

nicht A sondern B．A ではなく B
obwohl ~ *......～にもかかわらず
oder ....または
ohne dass ~*..～することなく
ohne dass ~*..～せずに
ohne zu <動詞>*～することなく
seitdem ~* .....～以来
so ~, dass ・・・*とても～なので……だ
so dass ~*......それで～だ
so**.................それで
sobald ~* ....～したらすぐ
solange ~* .....の間は、かぎりは
somit.............[副] それにより
sonst..............[副] そうでなければ
soweit ~*........～のかぎりでは．
sowieso.........[副] どっちみち、いずれにせよ
sowohl A als auch B．A だけでなく B も
trotzdem ~*....～であるにもかかわらず
übrigens........[副] ところで、それはそうと
und dann ....それか
und zwar........つまして
und..................そして、それから、と
während ~*....～する間、一方
weder A noch B．A でもなく B でもない
weil ~*............～であるから
wenn ~* ....～のとき、もし～ならば

あとがき

　中学に入学して英語を習い始めたとき、単語を暗記するのが苦痛以外のなにものでもなく、以来英語はずっと大嫌い。また、私の中学では、フランス語も選択することができたので、第二外国語として英語と同時に習い始めたが、フランス語には冠詞があり、英語よりももっと面倒なので超速攻でやめてしまった。

　こんな私が、今、どういうわけか、英語やフランス語よりももっと難解であろうドイツ語で生活しているというのは、実に不思議である。

　私の大学では、幸いにも英語が第一外国語と決められていなく、第一は2年、第二は1年取らなければならないとのことだった。そこで私は、「ドイツ語は初心者レベルから始まるので、2年やっても英語よりレベルはずっと低く、簡単だろう」と、そーんな安易な考えでドイツ語を第一外国語とした。もちろんその頃は、ドイツへ行こうなんて全く考えていなかったので、テストのためだけに勉強し、「動詞の活用、エ、スト、テ、ン、テ、ン！」などという具合であった。

　それが、進路を決めなければならない3年の秋、とあることがきっかけ（こんなところで打ち明けられるような立派な理由じゃないです）でヨーロッパへ行って勉強しようと思い立った。候補としては、イギリスかドイツ。つまり、英語かドイツ語である。もちろん私は、迷うことなくすぐにドイツへ行こうと決めてしまった。

　そこで4年の春、同級生が、バブルがはじけた後の就職困難な状況で就職活動をしているのを横目に、母と連れ立って"下見"ということで、初めてドイツを訪れた。もちろん、それまで真剣にドイツ語を勉強していたわけではないので、とにかく何も理解できない状態だった。切符を買おうと思って、「ケルンまで」と何度言ってもわかってもらえず、最後は紙に書いて見せたり、噂のカツレツを注文したとき、大きな肉をようやく食べ終わってもうお腹がいっぱいのところへ、さらにもう一枚、同じ大きさの肉が出てきてびっくりし、あわてて「2人分しか注文していない」というと「これで一人前」と言われさらにびっくりしたり……。この旅行では、ドイツを表面しか見ていなかったのと、ある種のヨーロッパへの憧れもあり、ドイツがすぐに気に入ってしまった。

　そして、大学を卒業し、いよいよ留学のためドイツへ来たのが、かれこれ6年以上前。一年間日本で語学学校に通っていたが、空港のパスポート検査ではやはり何を言っているのかさっぱりわからなかった。初めての外国生活。期待でいっぱいだったが……。

　ドイツへ来たばかりのとある土曜日のこと。前日、学校のみんなで朝まで遊んでいたのでお昼過ぎに起きてみると、何も食べることがないことに気付いた。そこで私は友達と二人で慌てて近所のパン屋へ走った。もうお店は閉まっていたが店員さんがまだ片づけをしていて、中にはパンがまだ残っていたので二人してドアを叩いていると、やがて店員さんがそれに気

付きドアを開けてくれた。私たち二人は、「あー、よかったねぇ」なんて喜んでいたのだが！　その店員さん、ドアを開けるや否や私たちに向かってただ一言、「Schon zu!（もう閉店！）」とだけ言ってまたドアを閉めてしまった。ガ〜ンである。

　これはほんの一例であるがそんな小さなことが重なっていくうちやがて"ドイツ嫌い病"にかかった。そして、語学学校の友達（日本人に限らず）と集まってはいつのまにかドイツの悪口大会であった。

　その後、語学学校を終え、企業で研修をし、大学で勉強を始めるようになって初めてドイツでドイツ人と一緒に生活していると感じるようになった。と同時に、語学学校の間はドイツの中の外国人社会にいたということに気づいた。そして、ある程度意志疎通ができるようになって初めて、ここではとにかく思ったことをハッキリと言わないと誰もわかってくれないんだ、ということを知った。目と目で通じるとか、言わなくても相手が気持ちを読み取ってくれるとかはこの国では期待できないのである。

　みなさんもいつかドイツへ行く機会があったとしたら、どんどん自分からドイツの人々の輪の中へ飛び込んでいってください。文法や発音を恐れることはありません。重要なのは、あなたが聞きたいことを口に出して言う（指さす）ことです。そうして、あなたが知らない、ガイドブックにも載っていないようなドイツをたくさん発見してください。
　この本が、その際にみなさんのお役に立てれば幸いです。

　最後に、私にこの本の作成の機会をくださった情報センター出版局のみなさん、何度も何度も私が気に入るまで原稿を訂正してくださったイラストレーターのおおたうにさん、私を担当してくださった原川さんに心から感謝いたします。また、原稿作成において、文章や単語のピックアップから原稿のチェックまで一緒に手伝ってくれたRalf、日本語訳を一緒に考えてくれた大親友の愛ちゃん、そして、居酒屋のページ作成においていろいろとアドバイスをくれた行きつけの飲み屋のオーナーMikeにもこの場をかりて感謝いたします。

2001年8月　今夏最高に暑いドイツ、蒸し風呂状態の屋根裏部屋にて

稲垣瑞美

著者◎稲垣瑞美（いながき・たまみ）

大学3年の秋、突如、ドイツの大学で機械工学を学ぼうと志し、渡独したのは今から6年前。日本でドイツ語を習ったにもかかわらず、空港でパスポート検査の際、ドイツ語を全く理解できずに心細くなる。最初はじろじろ見られたり、パン屋で割り込みをされたりとささいなことに腹を立てることもあったが、次第にそれが両者のコミュニケーション不足から来ていることだとわかった。大学入学後は級友に恵まれ、飲み歩いたり、コンサートへ行ったり、テスト勉強をしたりと日本の大学生活と変わらない毎日を楽しんでいる。今では数週間帰国するとドイツのパンとビールがとても恋しい。自身のHPでは『ここがヘンだよ、ドイツ』など、独自の視点でドイツの現代事情を綴る。フライブルグのゲーテインスティトゥート及び、アーヘン工科大学にてドイツ語コース受講。現在も勉学に励み(？)サッカーに熱狂する毎日。1972年、香川県生まれ。東京育ち。

著者メールアドレス/
pfudle@yahoo.co.jp
著者ホームページアドレス/
http://alemannisch.fc2web.com

イラスト	おおたうに
ブックデザイン	佐伯通昭 http://www.knickknack.jp
地図作成	ワーズアウト
企画協力	(株)EJカナダカレッジ http://www.ejcanadacollege.com

Special Thanks:Ralf Wörne
　　　　　　　Ai
　　　　　　　Mike

ここ以外のどこかへ！
旅の指さし会話帳⑳ドイツ

2001年 9月10日　第1刷
2005年 8月27日　第14刷

著者────────
稲垣瑞美

発行者────────
田村隆英

発行所────────
　　　　エビデンスコーポレーション
株式会社情報センター出版局
東京都新宿区四谷2-1 四谷ビル　〒160-0004
電話03-3358-0231
振替00140-4-46236　URL:http://www.ejbox.com
　　　　　　　　　　E-mail:yubisashi@4jc.co.jp

印刷────────
萩原印刷株式会社

©2001 Tamami Inagaki
ISBN4-7958-1863-0
落丁本・乱丁本はお取替えいたします。

「指さし会話帳」は商標登録出願中です。

> Deutsch für Touristen
> leicht gemacht
>
> Inhaltsverzeichnis

Flughafen→Unterkunft (8)　(46) Kalender/Wetter
Öffentliche Verkehrsmittel (10)　(48) Im Restaurant
Mietwagen (12)　(50) Deutsche Küche
Auf der Straße (14)　(52) Im Café/Kleinigkeiten
Freizeit (16)　(54) In der Kneipe
Grüße (18)　(56) Musik & Filme
Ansprechen (20)　(58) Sport
Persönliche Vorstellung (22)　(60) Fußball
Körpersprache (24)　(62) Deutsche Kultur
Deutschland (26)　(64) Beziehungen
Berlin (28)　(66) Persönlichkeiten/Gefühle
Schloß/Kirche (30)　(68) Haus
Ziffern/Geld (32)　(70) Körper/Krankheiten
Einkaufen (34)　(72) Medizin/Organe
Kleider/Farbe (36)　(74) Probleme
Auf dem Markt (38)　(76) Interrogationen/Verben
Der tägliche Bedarf (40)　(78) Adjektive
Uhrzeit (42)　(80) Lebewesen
Datum (44)　(82) In Kontakt bleiben